Grant +
Cutler   1 £ 15·45

7·1·93.

T

JAN ?

SEP

JUL ?

La Scala

Francesca Duranti

Ultima stesura

Rizzoli

ISBN 88-17-66305-0

Prima edizione: marzo 1991
Seconda edizione: maggio 1991

Ultima stesura

il mio nome

Gli altri, ce l'hanno un nome? Un nome sicuro, una corazza senza giunture che li rivesta da capo a piedi? Mi piacerebbe saperlo.

Il mio nome, al settanta per cento, è Teodora Francia. Quando sono nata mi chiamavo Maria Teodora Garrone, ma subito Maria Teodora è diventato Mitzi. Sono andata avanti come Mitzi Garrone fino a diciotto anni, poi ho sposato Carlo e sono diventata Mitzi Ripoli. Il mio primo figlio si chiama Nicola Ripoli.

Dopo qualche tempo mi sono innamorata di un altro uomo e sono andata a vivere con lui; allora — prima ufficiosamente, poi, quando ci siamo sposati, ufficialmente — sono diventata Mitzi Francia. La mia seconda figlia si chiama Eloisa Francia.

Quattordici anni fa ho pubblicato il mio primo romanzo, e l'ho firmato con parte del mio autentico nome di battesimo seguito dal cognome di Marco: quindi Teodora Francia. Con questo avevo sancito l'unione delle mie due mezze anime: il vivere e lo scrivere ricongiunti nella stessa fortunata persona. Teodora era il nucleo inalienabile — segreto, geloso, solitario, senza sesso e senza età, moltiplicabile per mille o per mille miliardi, ma inguaribilmente scompagnato: partecipabile a tutto il mondo ma impossibile da accoppiare a un altro singolo essere umano. Francia significava la vita condivisa, il miracolo quotidiano dell'amore. Teodora Francia era quindi una che aveva tutto, beata lei.

Non avevo calcolato che, proprio a quel punto, la mia unione con Marco sarebbe finita, e che quel nome avrebbe perso metà del suo significato non appena fosse stato messo nero su bianco. Ma ormai era lì, sul frontespizio del libro, e non l'ho più cambiato. Ora le persone si rivolgono a me con uno o con l'altro dei miei nomi a seconda di quando mi hanno conosciuta. Io sono Mitzi Garrone, Maria Teodora Garrone, Mitzi o Maria Teodora o Teodora Ripoli, Mitzi, Teodora o Maria Teodora Francia. Il nome e cognome che ho scelto, tra tutti quelli che ho legittimamente portato durante la mia vita, alcuni lo rifiutano; il perché non lo so. C'è poi il caso di un gruppetto di amici apparsi al mio orizzonte già parecchi anni fa, quando mi trovavo scandalosamente a metà strada tra Carlo e Marco. Fu, inizialmente, un incontro da lontano, inserito in una piccola commedia degli errori di cui non ricordo più bene lo svolgimento; so che, nel corso dell'episodio, loro hanno confuso il Mitzi, che allora indossavo abitualmente, con il soprannome di un'altra persona, certa Tittì Nonsocome. Questa Tittì credo fosse un'altra scostumata che aveva lasciato il marito per un amore adulterino; di qui l'equivoco. Gli amici che dicevo, dunque, quasi trent'anni fa, hanno scambiato Mitzi con Tittì. E dicono che, quando finalmente sono usciti dall'errore, mi conoscevano già troppo bene, per aver parlato molte volte — se non con me — di me; dicono che era ormai troppo tardi per aggiustare la loro memoria sul nome vero: loro mi chiamano, e lo faranno irreparabilmente fino in fondo, Tittì Garrone.

Ma io mi chiamo — e questo è al cento per cento, nel senso letterale dell'espressione, il modo come io chiamo me stessa — Teodora Francia.

Di giorno, per lo meno. È solo la notte che mi succede di svegliarmi senza riuscire a ricordare il mio nome.

il mio mestiere

In senso lato potrei dire che fare la scrittrice è il mio mestiere al cento per cento. Che lo è sempre stato, anche — paradossalmente — prima che io mi mettessi a scrivere. Quando facevo la ruota sulla spiaggia di Forte dei Marmi, per esempio, era solo in piccola parte per dare sfogo all'esuberanza fisica dei miei sette anni; quello che, invece, maggiormente sentivo e vedevo, come fossi al di fuori di me, quello di cui mi compiacevo, era l'effetto ottico che riuscivo a produrre. La macchia rossa del piccolo slip al centro del cerchio e la concentrica scia dorata delle trecce. Sentivo, certo, lo scatto dei muscoli, la sabbia calda alternativamente sotto le mani e sotto i piedi, ma soprattutto vedevo la girandola pirotecnica, il falso fenomeno astronomico, il simulacro di cometa. Era una piccola scrittura effimera tracciata nell'aria che offrivo ai miei lettori di allora. La paragonavo alla giostra di cavalli d'argento, che lentamente si stacca da terra e gira, gira, sempre più alta tra le nuvole, il tailleur di alpaca blu della Libera Uscita che appare come un puntolino sempre più piccolo, nel cerchio che sempre più si allontana dal viale dei Ciliegi, fino a quando non rimane più nulla: solo, in cielo, una nuova stella che l'Ammiraglio Bloom scoprirà, al calare della notte, con il suo cannocchiale da marina.

Ma se vogliamo, per amore di ordine — come si riporta una capra nel suo recinto — far rientrare la parola nel suo significato più ristretto, direi che sono diventata una scrittrice quindici anni fa e che lo sono all'ottanta per cento. Per il resto — per sopravvivere, per divertimento, per fare il mio dovere, per cercare di essere felice, per scherzo, per rabbia, per noia, per obbligo, per timidezza, per fare la spiritosa, per presunzione, per sfida, per stupidità, per disperazione — ho fatto e faccio anche qualche mestiere secondario, di tanto in tanto. L'autista, il facchino, la maestra, la giornalista, la cuoca, la politica, la traduttrice, la conferenziera, l'elettricista, la puttana, il muratore, la contadina, il letterato, il carabiniere, la contabile. Se anche io non sono per intero nessuna di queste cose, lo sono un po'.

Quello che sto scrivendo dovrebbe essere il libro che contiene i frutti delle mie specifiche competenze: ecco perché ci tengo a rammentarmele, prima di cominciare. Perché è importante sapere quali siano realmente. Mi piacciono quegli scrittori-ingegneri minerari, scrittori-psichiatri, scrittori-spie che sanno raccontare una storia dal punto di vista di un autentico ingegnere minerario, o psichiatra, o spia. Mi piacciono però soltanto quando la loro seconda metà è qualcosa che davvero appartiene a loro di diritto, e non il frutto di una documentazione di tipo giornalistico durata un paio di mesi se non un paio di settimane. Ci sono leggi ferree sul tipo e sul grado di mistificazione concesso a chi si propone di tirare fuori il coniglio dal suo cilindro; leggi che non si possono scrivere, né dire all'orecchio e che solo certe virtù minori, opportunamente assortite — buon gusto, buon senso, pudore — consentono di intuire e di applicare.

Io non ho un secondo lavoro ufficiale, ma ho certamente una seconda faccia, una terza, e qualche altra ancora: tutte abbastanza autentiche. Mi servono per superare la contraddizione fondamentale, cui non si può certo sfuggire, come molti sperano, evitando di allontanarsi troppo sia dall'uno che dall'altro estremo dell'antitesi, stando nel mezzo, cioè.

Non è possibile. La linea mediana tra due qualsiasi opposti non è un luogo dove si possa *stare*. Si può attraversare rapidamente, come una donnola traversa una strada, ma non ci si può installare per sempre. Sarebbe bello, ma nessuno ci riesce. E allora, dal momento che non si può:

né solo scrivere;

né solo vivere;

né stare a metà strada tra scrivere e vivere: che fare?

Non rimane che produrre degli ectoplasmi in forma di sosia, che si immergano nell'avventura della vita per trarne il necessario nutrimento, mettendo in moto la macchina della mistificazione con la benzina della verità.

Il primo racconto

Il primo tra i miei racconti che sia sopravvissuto abbastanza a lungo da poter essere ritrovato e oggi pubblicato, passando da un cassetto all'altro, da una casa all'altra, da una città all'altra, risale a quando abitavo a Pieve San Martino con Marco. Non eravamo ancora sposati, perché entrambi in attesa di divorzio. Eloisa aveva pochi mesi. Ogni giorno mi dicevo che ero follemente felice: dovevo dirmelo, per dimenticare che Nicola non era con me.

Quando avevo annunciato a Carlo la mia intenzione di lasciarlo, l'accordo era stato che io avrei tenuto il bambino. Non dimenticherò mai la sua faccia, mentre mi diceva che non avrebbe opposto resistenza alla scelta più logica. Era giovanissimo, aveva occhi chiari e molto belli, come li ha Nicola. "Lo so, lo so. È meglio che il bambino stia con te." Mentre progettavo assieme a lui la nostra separazione c'era una grande parte di me che si domandava quale assurda perversione mi inducesse a lasciare un uomo come quello. Così intelligente e generoso, ma anche così romanticamente bello e infelice, così magro e così biondo. Avevo vent'anni ed ero abbastanza stupida anche in rapporto alla media dei miei coetanei.

Poi, la pressione della sua famiglia, il favore della legislazione allora vigente, forse anche il desiderio di vendetta avevano cambiato la decisione di mio marito, e Nicola era rimasto con lui.

Pieve San Martino, primavera 1962

Marco mi ha raccontato un piccolo episodio realmente accaduto, e mentre lo ascoltavo ho improvvisamente cominciato a con-

13

frontare gli eventi reali con la narrazione arbitraria che ne potrei fare, disponendoli in opportuna sequenza, ordinandoli secondo un disegno significativo.

È stata una scoperta terribile: le cose in sé non vogliono dire niente, non servono a niente, non insegnano niente. Solo la rappresentazione che se ne dà riesce a decodificare il caos, rispecchiandolo in un'immagine dotata di forma e di senso.

Sono le sei del pomeriggio. Eloisa gioca nel suo box. Marco sarà a casa tra un'ora e mezzo. Per primi saranno i cani a riconoscere il rumore della sua auto da lontano: io metterò i fogli dattiloscritti nel cassetto, chiuderò la macchina da scrivere e gli andrò incontro passando davanti allo specchio per un'ultima occhiata di controllo. Lui mi piace tanto, e desidero tanto piacere a lui.

Ho preso i primi appunti per questa storia pochi giorni fa; poi l'ho scritta quasi tutta su un quaderno. Ora devo solo ricopiarla e trovarle un finale.

La porta di mezzo

Era quando la Sip, in Toscana, si chiamava ancora Teti. Potrei collocare la mia storia nel tempo ricordando che il papa era Pio XII, che Bartali e Coppi, Callas e Tebaldi, De Gasperi e Togliatti fornivano materia di animatissime discussioni nei bar e nei salotti. O usare toni meno sfumati, indicando semplicemente l'anno in cui accadde. Ma insomma, si deve pur cominciare in un modo o nell'altro, e se la prima frase che quasi da sola mi è caduta dalla penna è quella che avete letto e non un'altra, c'è una buona ragione, ed è che tutto il maledetto incubo ha avuto inizio precisamente quando abbiamo fatto il contratto per il telefono del nostro nascente studio legale.

Io avevo ventisei anni ed ero reduce dall'aver superato, a Caltanissetta, l'esame di procuratore; Bedini era più giovane di me di undici mesi, ma la sua fortuna, diversamente dalla mia, era sempre stata più grande nello studio che nell'amore. Non era mai riuscito a farsi una vera fidanzata, e questo gli aveva consentito di bruciare le tappe all'università. Così, a quel tempo, io avevo una moglie e una bambina, entrambe incantevoli; lui esercitava la professione a pieno titolo già da due anni, in qualità di ultima ruota del carro nel più vecchio e autorevole studio legale della città.

Lo chiamo Bedini — e lui mi chiama Buti — ma non dovete pensare che la nostra sia una relazione di tipo formale. Al contrario. Ci siamo conosciuti quando fummo messi per la prima volta nello stesso banco in prima elementare, e assegnati allo stesso reparto di Figli della Lupa. In quei lontani anni le maestre usavano chiamare noi bambini col cognome, ci insegnavano a salutare romanamente, a marciare col fucilino, a gridare "A noi!" e "Alalà".

La stretta successione alfabetica dava luogo tra Bedini e me a una immediata contiguità in tutti gli appelli; di conseguenza fummo sempre assegnati allo stesso autobus nelle gite scolastiche, alla stessa fila di poltrone quando ci portarono a una matinée teatrale per vedere Rina Morelli che recitava *La Locandiera* o, dopo la guerra, al cinema Littoria — ribattezzato non molto opportunamente Vittoria — alle proiezioni scolastiche di *Bernadette* e *Fantasia*. Più tardi fummo chiamati lo stesso giorno per la visita di leva; e, dopo essere stati entrambi riformati, lui per miopia bilaterale e io per la raccomandazione di un amico influente, continuammo, durante la nostra vita universitaria, ad essere accostati in successione immediata in tutte le liste ufficiali e ufficiose nelle quali il nostro nome compariva.

Se, tuttavia, in ogni elenco l'ordine era "Bedini, Buti", non esito ad affermare che la precedenza, nella vita reale, era invertita. Io ero più vecchio di un anno — anche se il millesimo era lo stesso — più alto di statura, più bravo nelle assurde esercitazioni paramilitari che costellarono il nostro primo periodo scolastico, più dotato per quel po' di ginnastica che si seguitò a fare anche dopo la guerra. Giocavo nella squadra di pallacanestro della Associazione Sportiva Virtus, ci sapevo fare con le ragazze, ero popolare tra gli amici. Le nostre due famiglie non potevano dirsi ricche, né l'una né l'altra, ma la mia aveva più mezzi di quella di Bedini: un altro duplice punto a favore della mia supremazia, che si avvantaggiava sia dell'impalpabile aura di maggior protezione da cui ero circondato che di elementi di prestigio più schiettamente oggettivi. Allora i ragazzi avevano meno cose, rispetto a oggi, e quelle poche contavano moltissimo. Per anni fui io l'unico a disporre di un mezzo di locomozione: prima la Lambretta e molto più tardi la topolino di mio padre, una A con i sedili ricoperti in similpelle rossa. E, compatibilmente con la grande austerità di quei tempi, riuscivo a vestirmi in un modo che mi consentiva, se non proprio di stare al passo con la moda, per lo meno di rincorrerla con un ritardo accettabile. Non così Bedini, che riuscì ad avere il pullover a vu color penicillina quando io ero già passato a quello bordò e non ebbe mai il montgomery, se si eccettua quello da mezzo milione che si è ridicolmente comprato fuori tempo massimo in questi giorni.

Ecco, non credo di aver tralasciato alcuni di quei vantaggi immeritati che la cieca fortuna mi aveva assegnato; a questi posso ora aggiungere certi elementi legati al mio carattere, alla mia filosofia di fondo, alla mia morale. Elementi, insomma, per i quali mi pare di avere diritto di attribuirmi un certo merito, anche se mi rendo conto che da questo punto di vista ognuno nasce come nasce; e il merito, come pure la colpa, è una radice misteriosa che trova nutrimento in chissà quali insondabili profondità.

In ogni caso, fino da ragazzino, sono stato più aperto alla vita, rispetto a Bedini, più prodigo del mio tempo, della mia attenzione. Avevo più fantasia di lui, più energia, anche se la usavo soprattutto per innamorarmi, per discutere con gli amici, per arrampicarmi sulle nostre belle montagne piuttosto che per costruirmi disciplinatamente un futuro professionale. Posso dire che avevo più personalità? Forse sì. Ero più vivo, forse. In ogni caso, tra noi due ero io il capo. Con questo non voglio dire che io fossi, o che sia, prepotente; solo che, in genere, ero io a esprimere per primo un'opinione o a prendere per primo una decisione che ci riguardava entrambi, e di regola Bedini accettava sia questa che quella.

Questo bravo Buti, in così totale armonia con se stesso, con i suoi simili, la sua città, il suo tempo, non ho dovuto inventarlo, perché ne conosco tanti. È un personaggio banalissimo, un po' bietolone ma simpatico. Una di quelle persone che durante il loro percorso, di fronte agli innumerevoli bivii dove si può scegliere da una parte la vita e dall'altra una delle numerose offerte alternative — orgoglio, successo, vendetta — ha la suprema saggezza di scegliere sempre la vita.

La vita, la Vita. Dovrei sapere cos'è la Vita, perché anch'io ho deciso in favore della Vita. Marco e io abbiamo il culto della Vita. È vero che non significa niente, che ci vuole Sheherazade per imprimere un significato alla storia, raccontandola; ma cosa racconterebbe Sheherazade se Sindibad quell'avventura non l'avesse vissuta? Cosa ha più valore?

Oggi, per gioco, indosso i veli di Sheherazade, ma è al mio Sindibad-Buti un po' tonto che assomiglio di più. Ecco perché riesco a sentire quasi dal di dentro questo personaggio così felicemente incastrato nella sua identità, come se qualcuno ce l'avesse cacciato dentro a martellate.

Ero io il capo, ero io che facevo le scelte per tutti e due. Fu così anche per la decisione, maturata al ginnasio, di laurearci entrambi in giurisprudenza e di aprire uno studio legale insieme. Un mio zio scapolo era morto lasciandomi in eredità — a me personalmente, che avevo appena compiuto quindici anni — l'unico suo bene: un piccolo appartamento in piazza San Michele. Ricordo quanto fui elettrizzato all'idea di essere proprietario di un bene immobile, e i sogni che ci ricamavo intorno, cominciando dalla targa di ottone sulla porta:

Avv. GIORGIO BUTI - Avv. PIERO BEDINI
STUDIO LEGALE.

E poi gli scaffali pieni di libri, la bionda segretaria, le cause difficilissime e vittoriose, la Corte d'Appello, la Cassazione.

Al secondo anno di università conoscemmo Rosanna e ci innamorammo entrambi di lei. Il treno che tutti e tre prendevamo ogni mattina partiva alle otto dalla stazione di Lucca e ci scaricava a Pisa dopo venti minuti. Poi c'era la passeggiata a piedi fino alla Sapienza, con sosta al bar per il cappuccino: altri quaranta minuti di quotidiano corteggiamento bilaterale, che Rosanna accettò con grazia, senza troppo affrettarsi a rinunciare a un adoratore per scegliere l'altro.

Mi domando che tipo di donna sarà stata Rosanna. Ginocchia Accostate e Sguardo di Fuoco, direi. Ma certo. Siede lì, un'occhiata a Bedini e una a Buti; entrambi si innamorano e tuttavia non nascono drammi, perché in fondo il gioco è stato impostato così fino dall'inizio, e tutti e tre lo hanno accettato.

Dunque, Rosanna sbatte un po' le ciglia, flirta per qualche tempo con entrambi gli amici, forse li incontra a volte anche separatamente, e alla fine rimane incinta, e dobbiamo supporre che il padre sia Buti. Perché proprio Buti?

E perché no? Dopotutto abbiamo detto che è più vitale, più simpatico. Anche più ricco. Benché non sia un nababbo, Rosanna potrebbe aver puntato su di lui fino dall'inizio, giocando con Bedini una partita molto più casta. In ogni caso, sebbene a Buti manchi ancora qualche esame per laurearsi, il matrimonio riparatore non può attendere.

Intanto Bedini, che non spreca niente, ha riversato nello studio tutta la sua frustrazione amorosa. Forse è anche galvanizzato dal sentimento di scampato pericolo, e procede a passi di gigante negli studi, si laurea, compie il periodo di praticantato, supera l'esame di procuratore e insomma inverte il vecchio ordine di precedenza, battendo Buti di due lunghezze e restituendo largamente il suo significato all'ordine alfabetico dei nomi, che ora conferma la reale gerarchia tra le due persone.

Ma né la storia d'amore con Rosanna né l'inizio della carriera di Bedini costituiscono il tema del racconto. Tutto questo lo do per già raccontato, lasciando che appaia tra le righe, e proseguo:

Ma alla fine scelse, e scelse me. Inutile dire che la felicità non influì positivamente sulla mia voglia di studiare. Rosanna incinta era ancora più bella del solito; e la bambina, quando nacque, una delizia. Persi tempo. Che dico: impiegai il mio tempo nel migliore dei modi. Ma naturalmente, il giorno in cui raggiunsi Bedini nella sua condizione di abilitato alla professione, lui aveva già una piccola clientela ed era chiaro che non avrebbe mai accettato che il nostro fosse lo studio legale Buti-Bedini; d'altra parte io mi rassegnai di buon grado a disporre i due nomi nell'ordine inverso, che, dopo tutto era l'ordine alfabetico e non suggeriva alcuna inferiorità gerarchica da parte mia.

Questo è il punto caldo di tutta la storia. Il campo di forze contrastanti, e il modo come si combinano, o contrappongono, e il disegno che formano nel loro eterno gioco. Da una parte la spinta a vivere — accoppiarsi, riprodursi — fare di sé un successo biologico, in breve.

Dall'altra... dall'altra, dall'altra. L'ambizione di diventare un bravo avvocato? Certamente, perché no. Per altri è la politica. La scienza. La gloria militare. L'arte. Le colonne d'Ercole di ciascuno, i cavalli del sole, e grandi imprese in nome delle quali rinunciare a tutto.

Ripulimmo, riparammo, imbiancammo personalmente l'appartamento di piazza San Michele. C'era un ingresso dove piazzammo la scrivania della segretaria. Era un po' buio ma ampio. Alle spalle della scrivania si aprivano tre porte uguali: una stanza a destra, una a sinistra, uno sgabuzzino al centro.

Tirammo a sorte, per aggiudicarci le stanze: a me toccò la più bella, con una grande finestra da cui si poteva vedere l'Arcangelo Michele sul timpano della sua chiesa. Acquistammo martelli, pennelli, vernici. A mezzogiorno e mezzo Rosanna ci portava birra e panini e noi interrompevamo il lavoro per una breve pausa, felici come ragazzi che fanno un picnic in riva al fiume.

È strano che quelle giornate siano vive nella mia memoria come se le avessi vissute ieri; mentre la scena fondamentale, che si svolse agli sportelli della Teti quando andammo a fare il contratto per l'istallazione del telefono, temo di non ricordarla troppo bene. Anche perché, nel momento in cui ebbe luogo, non avrei mai pensato che in quella banale occasione si stesse giocando tutta la mia vita futura.

Mi sembra che noi due fossimo appoggiati al banco, e che anche dall'altra parte ci fossero due impiegati: uno, il vero e proprio addetto ai contratti, occupato a parlare al telefono e l'altro, che momentaneamente lo sostituiva, intento a dare ascolto a noi.

Stese davanti a sé le tre copie del modulo di contratto, separate da due fogli di carta carbone.

Cominciò a riempirli con i nostri dati. Ci chiese se volevamo, sull'elenco, i caratteri in grassetto. Discutemmo un po' e concordammo di affrontare il sovrapprezzo che questo comportava.

Ci fu chiesto quale dovesse essere la dicitura; uno di noi due, forse io, rispose: «Studio Legale Bedini - Buti», e qui accadde l'irreparabile.

L'impiegato domandò: «È un nome doppio?».

«No», rispondemmo. «Sono due nomi, li separiamo con un trattino.»

Penso che sia stato quello il momento in cui l'altro impiegato riattaccò il telefono e riprese il suo posto allo sportello. Il temporaneo sostituto gli consegnò i moduli che stava riempiendo e se ne andò. «Vi lascio al signor Burchielli», ci disse salutandoci.

Il signor Burchielli prese la penna e alzò su di noi uno sguardo interrogativo. «L'intestazione, allora?»

«Studio Legale Bedini (righetta) Buti», risposi io.

Lui scrisse, io firmai. Pagai. Ce ne andammo felici. La vita cominciava. Bedini venne a colazione da me, Rosanna lo accolse affettuosamente, la bambina gli si arrampicò sulle ginocchia. Tutto andava d'incanto, e d'incanto seguitò ad andare durante i giorni seguenti, quando appendemmo i nostri diplomi di laurea in ufficio, assoldammo Manuela, che non era né bella né bionda, ma — come nei film — si dava lo smalto sulle unghie mentre aspettava i clienti.

Questi, all'inizio, non erano certo numerosi, e le loro questioni minime. La rete di un pollaio fuori dai confini, una terrazza che faceva acqua al piano di sotto, una studentessa di pianoforte che massacrava Clementi a ore improprie.

Arrivammo fino al mese di marzo senza riuscire a mettere le mani su niente che non si potesse risolvere con una letterina di dieci righe, e già cominciavo segretamente a pentirmi di aver osato troppo, affrontando la mia vita professionale senza la protezione e l'avallo di uno studio legale già affermato.

Il 21, primo giorno di primavera e anniversario del mio matrimonio, arrivai in studio piuttosto tardi, verso le dieci. Capii subito che c'era qualcosa che non andava, dalla faccia eccitata di Manuela. La nostra segretaria era di regola immersa in una specie di dormiveglia torpido; quella fu la prima volta che le vedevo quell'espressione ghiotta, elettrizzata; la stessa che illumina il viso di chi assiste alle gare automobilistiche quando c'è speranza che possa verificarsi l'incidente mortale. È la faccia del Subalterno Catastrofico così come l'ha magistralmente definita e descritta Mario Soldati.

«Guarda cos'hai combinato» disse Bedini. Mi sbatté sotto gli occhi il nuovo elenco della Teti. «Lo hanno lasciato nell'androne ieri sera. Vuoi vederlo? Vuoi vedere che effetto fa il nostro nome?» Rise amaramente. «Guarda, guarda anche tu.»

Guardai. La scritta in grassetto, costosa e visibilissima, diceva: Studio Legale Bedini - Righetta - Buti.

Dapprincipio non capii. «Chi sarebbe questo Righetta?»

Bedini esplose in una risatina secca e amara. «Chi sarà mai? Ho già telefonato alla Teti. Hanno il nostro contratto, firmato da te, e c'è scritto proprio così: Bedini - Righetta - Buti.»

«Ma non è possibile!»

Bedini chiuse l'elenco con un colpo che suonò come uno schiaffo. «Certo che lo è. C'è la tua firma.»

«Ho firmato io perché ho pagato io. Ma non sono io che ho riempito il formulario. È stato l'impiegato. Non te lo ricordi? C'eri anche tu.»

«L'impiegato, mio caro, ha scritto quello che tu gli hai dettato.»

C'era un punto fondamentale che continuavo a non capire. «Ma perché» gridai, «perché avrei dovuto dargli il nome di questo Righetta? Chi è questo avvocato Righetta? Io non lo conosco affatto.»

Bedini sospirò e anche Manuela sospirò. Era una ragazza tutt'altro che sveglia, ma persino lei aveva capito ciò che era accaduto.

«Cerca di ricordarti» disse Buti. «Tu volevi dire che bisognava separare i nostri nomi con un trattino... Mi sembra quasi di risentire la tua voce: Bedini (righetta) Buti. Capito? Bedini, Righetta, Buti. È molto semplice: ti sei espresso in modo equivoco e lui ha capito male. Pace. Ma è imperdonabile che tu non abbia riletto. È la prima cosa che il più inesperto degli avvocati insegna ai suoi clienti: mai firmare senza leggere. Ora per un anno dovremo tenerci questa stupida dicitura sull'elenco.»

Venne il primo aprile e con esso si presentò anche il primo cliente dell'avvocato Righetta. Bedini era in tribunale e Manuela entrò nella mia stanza visibilmente agitata richiudendo la porta con un tonfo e appoggiandoci contro la schiena.

«C'è un signore» ansimò.

«Nuovo?»

«Nuovo.»

«Benissimo. Fallo passare.»

E qui la bomba: «Ha chiesto dell'avvocato Righetta».

Rimasi per un attimo senza fiato. «Sei sicura?»

«Certo. Ha detto: vorrei parlare con l'avvocato Righetta.»

Ho già detto che i clienti erano pochi: tutto quello che pensai, decisi e feci in seguito fu ispirato dal desiderio di non lasciarmene scappare uno. Non potevo consultarmi con Bedini; Manuela era fedele come un cane ma del tutto inutile per discutere una strategia.

«Che tipo è?» chiesi. Mi sarebbe piaciuto avere una segretaria capace di un diabolico spirito di osservazione, unito al dono di sintetizzare in poche parole un ritratto esauriente: condizione emotiva, natura della questione, categoria sociale, solvibilità. Ma Manuela non era Della Street.

«Normale» disse.

Non era un ritratto accurato. Non mi dava indicazioni sulla via da seguire. Decisi di giudicare con i miei occhi. «Fallo entrare» dissi. Era, in effetti, una persona normale in modo eccezionale: la lapidaria descrizione di Manuela aveva colto il centro del bersaglio. Faccia, statura, vestito, cartella dei documenti, tono della voce, scarpe: tutto nei valori normali. Il cliente ideale, ma non certo un tipo a cui confessare, pensai, che il nostro studio era composto da tre avvocati, uno dei quali non esisteva.

Presi tempo. «Chi le ha indicato il nostro nome?» balbettai.

«L'ho trovato sull'elenco telefonico.»

Naturale. Il maledetto elenco della Teti. La dicitura errata di cui io, tra l'altro, avevo la colpa.

Non sapevo cosa fare. Non potevo spacciarmi per l'avvocato Righetta; non potevo confessare, non potevo mandar via un cliente. Il dilemma sembrava avere tre corni, nessuno dei quali praticabile.

Presi la mia decisione, o meglio ci saltai dentro, come uno che salta nell'acqua gelata.

«Righetta in questo momento è a Firenze, in Corte d'Appello. Dica pure a me; tutto il nostro lavoro viene svolto in équipe.»

Andò liscia. Bedini, quando rientrò, approvò la mia decisione; Manuela era rapita in un'estasi di ammirazione per la rapidità e l'ardire della mia scelta. A Rosanna non raccontai nulla, perché ero certo che avrebbe trovato la cosa troppo divertente per vincere la tentazione di spargerla subito ai quattro venti.

Ottenemmo per il nostro cliente una vantaggiosissima transazione senza che il signor Normale si insospettisse. Aveva visto sempre e soltanto noi, ma — a conto pagato — arrivarono due fagiani, che regalammo a Manuela, indirizzati all'avvocato Righetta.

Il secondo cliente dell'avvocato Righetta arrivò pochi giorni dopo; procedemmo allo stesso modo. Poi ne arrivarono altri e altri ancora; in capo a sei mesi, il cerchio si chiuse dando origine a una nuova serie, con una signora Caturegli che venne su indicazione del signor Normale, primo cliente del collega Righetta. Ormai eravamo alla seconda generazione, il nostro sociofantasma si era fatto un nome e praticamente mandava avanti l'ufficio da solo. A Natale ricevette regali principeschi ai quali rispose, per mano di Manuela, con biglietti garbatissimi.

Fino all'apparizione della signora Caturegli avevo accettato la buona sorte senza farmi troppe domande. Avevo bisogno di soldi per la famiglia, un altro bambino era in arrivo. Ma la mia curiosità non poteva dormire in eterno. Dovevo cercare di capire come tutto era potuto cominciare. Rimasi una sera in studio dopo che Bedini e Manuela se ne erano andati e aprii l'elenco del telefono per cercare di capire come era venuto in mente al signor Normale di chiedere proprio dell'avvocato Righetta.

Perché? Cosa c'era in quel suono un po' ridicolo che suscitava più fiducia che Bedini o Buti?

Inutilmente scrutai la fatale dicitura in grassetto dalle sette e mezza fino alle nove. Dovetti richiudere l'elenco e tornarmene a casa col mal di testa e senza essere giunto a nessuna conclusione. Ci arrivai la notte, svegliandomi con un soprassalto. Ero tutto sudato; mi alzai e andai a sedermi in soggiorno. Non presi neanche l'elenco: non serviva.

I tre nomi erano stampati nella mia mente: Bedini - Righetta - Buti. Ma certo! L'ordine naturale era stato alterato! il nome di Righetta, messo prima del mio, sostituiva alla neutrale e inoffensiva gerarchia alfabetica un ordine di precedenza diverso, al quale non si poteva fare a meno di attribuire un qualche significato. E i valori che la sequenza indicava erano indubitabili: Bedini il Grande Capo — il più esperto, forse il più costoso, certo il più occupato, il più irraggiungibile. Righetta: un po' meno esperto, un po' meno bravo, ma forse più abbordabile, umanamente ed economicamente. Io: l'ultima ruota del carro, il tirapiedi, l'inaffidabile.

Non c'era da meravigliarsi che l'avvocato Righetta, nella sua simpatica posizione intermedia, mietesse tanto successo: ed era ancora più comprensibile che nessuno si fosse mai sognato di venire allo studio chiedendo esplicitamente di me; perché avrebbero dovuto?

Ecco, fin qui avevo tutto in mente fino dall'inizio. Buti, che ha sempre scelto la vita, ha un attimo di rimpianto: Questo accade in natura, inutile negarlo. C'è il momento — viene anche per i più ottimisti — in cui la famosa Vita, in sé e per sé, non sembra poi questa gran cosa. Ci si sveglia al mattino, non c'è niente di particolare che non vada, ma ugualmente uno si dice: "e allora? È tutto qui? A parte la possibilità di stare peggio, che altro c'è?".

Immagino sia questo che accade anche a Buti, e naturalmente il vero antagonista, il termine di paragone su cui misurare la sua frustrazione è Bedini. Solo che Buti non lo sa. Preferisce arrovellarsi sull'avvocato Righetta, il nome intermedio nella dicitura sull'elenco telefonico, il socio inesistente.

Per finire il racconto mi mancano poche righe, che non ho ancora scritto, ma che so, più o meno, come dovrebbero essere. Tutto rientra nei ranghi, grazie appunto all'avvocato Righetta, che, nella sua saggezza — così efficacemente rappresentata dalla sua natura di inesistente punto medio — mostrerà a Buti quanti momenti di assai più grave e più giustificato rimpianto, costellino la vita degli altri, di Bedini, per esempio. La conclusione, senza diventare un inno alla vita, che è un po' zuccheroso, dovrà fare apparire qualche verità minore, ancor più convincente perché esitante... Che in fondo nulla di vero e di autentico va mai sprecato; che ognuno può raggiungere la massima ampiezza di attuazione di sé anche coltivando prezzemolo in un metro quadro di terra; che non conta quello che si fa ma quello che si è... Tutto appena suggerito e assolutamente non perentorio. Ma l'avvocato Righetta non mi vuole aiutare. Dovrebbe manifestarsi in qualche modo, così da chiudere il cerchio. Buti potrebbe decidere di consultarlo — e l'oracolo dovrebbe fornire la grande risposta. Il come si può inventare, un po' di assurdo ci starebbe bene, credo.

Ma il fatto è che proprio non può essere. Vorrei... Ma non posso. La storia non ne vuole sapere di finire così. Mi scappa di mano in un'altra direzione.

26

Avrei voluto mettermi a gridare, a sbattere la testa contro i muri, ma rimasi impietrito sulla poltrona di pelle del salotto, duro come un cadavere in stato di rigor mortis. Mi trovò Rosanna la mattina dopo, con la febbre alta e completamente afono.

Mi lasciai mettere a letto senza opporre resistenza. Venne il medico e disse che avevo l'asiatica.

Mentre io era malato, Bedini lasciò passare il termine utile per correggere la dicitura sull'elenco telefonico. Un giorno che mi venne a trovare disse: «Sai, ce l'ho lasciato, l'avvocato Righetta. In fondo è quello che ci porta più clienti». Fece una risatina. Lo guardai: era precocemente calvo, portava gli occhiali da miope, molto spessi. Non aveva ciglia né quasi sopracciglia; sembrava un uovo vestito da avvocato. Non perdeva tempo a vivere, lui. Sapevo che presto avrebbe sposato una donna ammodo, intelligente, economa e laboriosa. Non ci sarebbe stato reciproco amore, ma si sarebbero aiutati l'un l'altra.

Quando tornai al lavoro la targa sulla porta d'ingresso era stata sostituita per uniformarsi a quello che si trovava scritto sull'elenco: Studio Legale Bedini - Righetta - Buti. Avevamo anche una strisciolina di ottone più sottile su ciascuna delle nostre porte interne: Avv. Bedini a destra, Avv. Buti a sinistra, Avv. Righetta sull'uscio dello sgabuzzino dove Manuela teneva la bicicletta, dopo che la prima le era stata rubata dall'androne.

Ebbi una ricaduta e rimasi a casa per un altro mese. Tornai a lavorare, ma per poco. Non ricordo cosa mi accadde, se fu quella volta che mi rimase una mano schiacciata nello sportello dell'auto, o quando scivolai sul ghiaccio e mi ruppi una gamba. Ma no, quello accadde d'inverno. Forse fu la salmonellosi, o il fuoco di Sant'Antonio, o il fuoco del fornello a gas, mentre Rosanna era a Viareggio con i bambini ed ebbi quell'incidente con l'olio della friggitrice. Insomma, fui travolto da una serie di fatalità una dietro l'altra. Quando si produsse l'ultima che ho citato — tutto l'olio della friggitrice, un litro e mezzo, rovesciato sul fornello acceso — Rosanna rientrò per curarmi senza portare i bambini. Non avevo più né ciglia né sopracciglia né capelli, dopo quella fiammata.

Quando fui ristabilito mia moglie tornò al mare. Venne qualche volta a trovarmi — con o senza i bambini — e via via che la stagione si faceva più fresca, se ne andava portandosi dietro i vestiti pesanti per sé e per loro. In autunno iscrisse i bambini a una scuola di Viareggio; facemmo Natale insieme dai nonni. A gennaio venne con un furgone per prendere altre cose che le servivano.

Anche Bedini veniva spesso a farmi visita a casa, perché attraversai un periodo disgraziatissimo, durante il quale mi piombarono addosso incidenti e contrattempi a ritmo incessante, impedendomi a volte anche di andare allo studio per riscuotere l'affitto dei locali.

Non riesco a ricordare quando fu che Bedini ruppe il suo fidanzamento, e meno che mai come accadde che Rosanna andò a vivere con lui. La cosa si materializzò un bel giorno come epilogo di un processo graduale di cui non mi accorsi fino a che non fu completato.

Non c'è romanzo che sia in grado di dare conto dell'impercettibile crescendo delle cose che accadono nella vita. Quando si raccontano, o si leggono sui giornali i clamorosi fatti conclusivi di una vicenda, ci si chiede "ma come è possibile che il tale non si sia accorto... che il ministro non abbia saputo... che la moglie abbia permesso..." e si fanno i conti con le cose già precipitate, ignorando che la natura è capace di mettere il rallentatore a certe valanghe fino al punto che chi ci sta sotto le vede solo nel momento in cui gli cascano addosso.

Spesso io, che lo so, mi sveglio di soprassalto e mi

domando "cosa mi sta succedendo, in questo momento, senza che io me ne accorga?". Come se qualcosa urgesse in me, chiamandomi a prestare più attenzione, interpretando le cose al modo giusto, invece che chiudere occhi e orecchi, come è tanto più facile fare.

Insomma, accadde. E quando fu accaduto c'ero già rassegnato, come se il fluire morbido degli eventi mi avesse abituato all'idea a mia insaputa. Non feci opposizione al divorzio, e quando Rosanna e Bedini si sposarono mandai un'insalatiera d'argento per regalo.

Sono passati molti anni. Per fortuna il mio appartamento era facilmente divisibile; ne ho affittato tre quarti a un rappresentante di caramelle e io me ne sto in quelle che un tempo erano le stanze dei ragazzi.

Allo studio non vado quasi più. Bedini si è comprato il montgomery, come vi ho detto. Ha anche cambiato la montatura degli occhiali, il modo di vestirsi. È dimagrito, abbronzato.

Per quello che sono gli standard della nostra piccola città, è diventato un avvocato di grido; le questioni di minor importanza gliele sbriga l'avvocato Righetta.

Il secondo racconto

Il secondo racconto l'ho scritto due anni dopo il primo. Nulla era cambiato.

Pieve San Martino, estate 1964

La Milanese

Sono passati quasi quindici anni e sembra ieri. Me la rivedo davanti, o piuttosto me la sento giungere da dietro le spalle: poiché il mio primo incontro con Maria Giulia non fu visivo ma acustico. Mi trovavo, per la prima volta nella mia vita, a un'asta pubblica. Mi ero seduto in un posto di corridoio per poter scappare via non appena avessi controllato se le poche cose che avevo messo all'incanto, erano state felicemente vendute.

Ho aspettato un pezzo, prima di scrivere un altro racconto. Prima ho fatto altre cose. Ho dipinto un rigogolo appollaiato su un ramo di fico. Se ne sta lì, tutto vestito di giallo oro e nero lucente, ad aspettare che i fichi maturino. In realtà io ho sempre visto questo uccello posarsi su querce, carpini, frassini; perciò non sono personalmente certa che la scelta dell'albero sia corretta. Ma una creatura di quella incredibile bellezza, aggrappata a un ramo di quel vellutato grigio uniforme e incorniciata da poche grandi foglie a tre lobi — già semplici per natura e rese ancora più elementari dal mio disegno non molto sofisticato — crea proprio l'ef-

31

fetto magico che voglio io. È come se fosse qualcosa che ho visto in un posto segreto, da sola, in una giornata calda, immersa nel silenzio.

Ho dato ripetizioni di matematica e inglese ai ragazzi della valle, ogni giorno dalle tre alle sette del pomeriggio; ho preparato quintali di marmellate; ho insegnato a leggere a Eloisa, che non ha ancora tre anni, con un sistema di mia invenzione che funziona benissimo. Ho imparato a usare la macchina da cucire e ho fatto per tutti sensazionali vestaglie a forma di kimono. Ho fatto un mucchio di cose convinta che mi sarebbero riuscite passabilmente, ma mai bene, sapendo che non sarò mai né Don Milani né Audubon, né Fortuny né la Montessori, e neppure Wilkin & Sons. Ho cercato di tenere a bada il prurito alle mani, di impegnare la voglia di fare che ho da sempre, evitando di tornare troppo presto al gioco più proibito di tutti, l'unico che potrebbe riuscirmi.

Del resto, fino a oggi, non potevo farne a meno, di passare da una cosa all'altra, in modo dilettantesco, inconcludente. Ho cominciato tutto, poi ho sempre cambiato strada. Carlo diceva: «Quando avremo una casa nostra, faremo una stanza enorme per metterci tutte le tue opere lasciate a metà». In realtà, a parte la gran massa degli incompiuti, soprattutto letterari, ci sono anche state cose che ho finito, ma sempre esemplari unici, o quasi. Un erbario, tutto diviso per classi, famiglie, generi e specie, con il nome in latino, luogo e data di raccolta; due batik; un quaderno con la ricerca di tutti i numeri fissi dei poligoni regolari; poesie, disegni, canzoni, progetti. Mi veniva naturale essere così, come se non potessi sottrarmi a un destino di inconcludente versatilità. Quando avevo sette o otto anni, per un po' mi ero messa a fare delle teste di argilla — ritratti dei miei familiari e decine di copie del David di Bernini, per il quale, nella sua triplice natura di Autore-Modello-Eroe biblico, avevo preso una specie di cotta infantile. Andavo a raccogliere la terra, faticosamente, con una vanga, sui lati di una specie di trincea scavata nel prato dietro la casa, ricordo del tempo di guerra, quando la cantina veniva usata come rifugio antiaereo e bisognava consentire una seconda uscita. Poi, disgraziatamente, mia madre ha pensato di intravedere nelle mie opere il segno di una certa predisposizione, e ha quindi deciso che dovevo fare le cose in regola. Mi ha assegnato il vecchio e inutilizzato ate-

1. *Ultima stesura*

lier di pittura del bisnonno: sessanta metri quadri con la luce da nord e il busto di Raffaello sulla porta. Mi ha comprato la creta — di tre diverse grane — il trespolo girevole, le sgorbie di bosso e quelle di metallo.

È il segno di una natura perversa il fatto che io abbia smesso da quel momento e per sempre di interessarmi alla scultura? E lo devo di nuovo a una natura perversa se ho tanta voglia di scrivere facendo le cose in regola — con un mio tavolo, le mie ore di lavoro, la prospettiva di pubblicare — ora che tutto questo mi sembra condannato da una oscura proibizione?

Eppure amo Marco. E lui ama me. E temo la sua collera: dunque? E adoravo mia madre. Era lei che non amava me, anche se non tralasciava di fare il possibile per cavare il meglio da ogni sua pertinenza, me compresa. Cercava di addestrarmi al successo, questo sì, ma il suo cuore di madre avrebbe desiderato impadronirsi anima e corpo di una creatura adattabile, mimetica. E io mimetica non lo ero. Secondo la tradizione familiare ero antipatica, ribelle e governabile solo con la forza.

Neppure oggi sono mimetica, ma sono diventata prudente. Allora non avevo niente da perdere, oggi devo stare attenta. Anche se non so perché, sento che, tra un racconto e il successivo, sarà bene che io metta sempre qualche chilo di marmellata più altre cose assortite.

Dunque, la storia si avvia con questo Io Narrante maschile che, a un'asta pubblica, dove è andato per seguire la vendita di certi suoi mobili, incontra per la prima volta una certa donna.

Mia madre era morta da pochi mesi, due giorni dopo il mio esame di Stato. Avevo svuotato la grande casa dove avevamo vissuto insieme e restituito le chiavi al proprietario; mi ero sistemato in un appartamentino. La vendita dei mobili avrebbe permesso — lo speravo — di attrezzare il mio ambulatorio.

Ero intimidito, e forse la mia sensibilità era dilatata da uno stato non spiacevole ma acuto di commozione. Sentivo che quel giorno qualcosa stava finendo e qualcosa stava cominciando contemporaneamente, con la auspicata trasformazione dei miei mobili in denaro liquido. In una medesima funzione si celebravano le esequie di Roberto — unico figlio del defunto maestro elementare Maurizio Pasi e della vedova Pasi — e il battesimo del dottor Pasi, neospecialista in dermatologia. La solennità del banditore nell'officiare il suo rito, le panche intagliate di legno scuro su cui sedevamo, i grandi quadri alle pareti contribuivano ad accentuare il mio sentimento. Stavo irrigidito in una posizione composta e pia, pronto a genuflettermi o a segnarmi se richiesto.

A un tratto udii, proveniente dal fondo della sala, un rumore di passi accompagnato da un tintinnio metallico a più note, come un fiero e gagliardo motivo principale immerso in una elaborata orchestrazione. Non era un suono in alcun modo eccessivo o volgare; tuttavia ben distinto, ritmato, chiaro e forte, come se chi lo produceva non ritenesse necessario camminare in punta di piedi. Un suono orgoglioso, sicuro, che mi irritò fin dal primo momento.

Non mi voltai, perché mi era stato raccontato che alle aste pubbliche i più piccoli gesti possono venir scambiati dal banditore per espressioni della volontà di comprare. Pietrificato in una prudente immobilità mi limitai a spostare di un'inezia le ginocchia quando due donne mi sfiorarono per raggiungere i posti rimasti liberi alla mia destra.

Madre e figlia, perché tali erano al di là di ogni dubbio, mi oltrepassarono, appoggiando i tacchi senza timore sul parquet, facendo imperiosamente — anche se lievemente — crepitare, tintinnare, snaccherare l'oro dei gioielli, assolutamente non troppi né vistosi, ma sonori: cerchi barbarici ai polsi, catene, monete indiane, orecchini drusi, ciondoli di Cartier.

E mentre le loro anche prosperose, fasciate di semplice imprimé — bianco e blu l'una e blu e bianco l'altra — mi passavano a tiro d'orecchio, altri suoni entrarono nel mio campo uditivo: il frusciare della seta, l'alterna carezza di nylon della falcata.

Erano i primi giorni di un settembre caldissimo; tutte le altre signore presenti, pur essendo molto più in ghingheri di loro, erano vestite di cotone e avevano le gambe nude. In quelle due c'era qualcosa di altezzosamente fuori tempo, fuori luogo. Accanto a me si era seduta la figlia: sentivo il suo profumo, che indovinavo simile — o quanto meno assortito, accordato — con quello della madre, cosicché l'uno e l'altro formavano, intorno a loro, una specie di campana di vetro delimitando una zona extraterritoriale, extratemporale, una bolla d'aria privilegiata.

Non le avevo mai viste in città. Erano appena dorate dal sole, i loro capelli castano chiari, raccolti semplicemente, non recavano traccia di mèches o di tinture; gli occhi erano azzurri. Confrontate con loro, le altre donne riunite nella sala mi parvero all'improvviso rivestite da una volgare vernice di princisbecche a copertura della meschinità provinciale; in un attimo i miei gusti cambiarono e provai fastidio per le impeccabili pettinature falsamente bionde, i colori laccati degli abiti troppo alla moda, l'uniforme, inesorabile intensità delle abbronzature.

Al momento del loro passaggio davanti alle mie ginocchia avevo mentalmente definito le mie vicine "due signore di fuori, madre e figlia"; poi, guardando meglio la più giovane, mi accorsi che non arrivava ai diciotto anni. Una signora e una ragazza, dunque. Era stato il fruscio della seta, il tintinnare dei bracciali, la sicurezza del passo a trarmi in inganno. E anche — a dispetto della loro freschezza — una certa sovrabbondanza nelle carni della fanciulla: un lievissimo doppio mento, una linea — tra i fianchi e il ventre — che mi parve, sotto la seta bianca e blu, appena convessa anziché decisamente risucchiata in dentro come è di regola a quell'età.

Potevo guardarla appena, con la coda dell'occhio, ma l'avevo vista bellissima durante il breve sguardo che ci eravamo scambiati, e continuai a sentirla bellissima attraverso il mio braccio che sfiorava il suo, per tutto il tempo dell'asta. Era una percezione acuta, che si combinò con la reazione ostile suscitata in me dalle due donne quando erano entrate con tanta padronanza in un luogo dove mi trovavo così a disagio; ne venne fuori qualcosa di languido e un po' perverso che chiamerei voluttuosa antipatia.

Dalle parole che la ragazza scambiò con sua madre capii che erano milanesi, e questo accentuò il mio sentimento. Per tutto il tempo, guardandola di sottecchi e aspirandone il profumo con segreta lussuria, ascoltai il suo accento settentrionale nutrendo la mia contraddittoria passione nascente con quel misto di avversione e di inconfessata invidia che ogni toscano sperimenta al primo approccio con il profondo nord. È un sentimento che vorrei cercare di definire in modo corretto, come piccolo contributo al tentativo di analizzare le idiosincrasie verticali, orizzontali, incrociate che animano per tutta la sua lunghezza la nostra penisola, ma non spero di riuscirci. Non solo perché mi occorrerebbe un esprit de finesse che forse non possiedo, ma perché, essendo io toscano, dovrei essere sincero come nessuno è mai, soprattutto per iscritto. Dirò solo che al nostro orecchio, l'accento dei milanesi suona sgraziato, e fin qui va bene, ma non basta. Bisogna aggiungere che, quando li sentiamo parlare, qualcosa ci rode dentro: ci sembra che esagerino, che facciano apposta a caricare la loro cadenza regionale per una smania orgogliosa di autoidentificazione. Siccome non ci sembra credibile che si possa essere milanesi fino a quel punto, ecco che, quella brutta parlata, diventa per noi solo un irritante modo di ostentare una provenienza che è sinonimo di disinvoltura, denaro, potere, superiorità. Di gettarci in faccia che oggi sono loro a dominare, facendo tutto meglio e per primi; e che noi possiamo solo imitarli: a denti stretti e con un certo ritardo.

Le due milanesi comprarono uno dei miei mobili (scrivania toscana in noce, del Seicento, l'aveva definita il banditore, aggiungendo: «manca uno dei cassettini interni»).

Il giorno dopo riuscii a sapere il loro cognome — Besana — e il nome della ragazza — Maria Giulia. Scoprii dove abitavano — una villa di campagna a Segromigno, di proprietà di una nonna toscana. Gettai all'aria tutte le mie cose e trovai — in fondo al cuore sapevo che da qualche parte doveva esserci — il minuscolo cassetto mancante della scrivania.

Lavai la mia Deux chevaux di seconda mano con la croce di medico sul parabrezza, mi tirai a lucido, comprai un mazzo di fiori e all'ultimo momento decisi di non portarlo. Alle cinque del pomeriggio mi presentai al cancello della villa di Segromigno con il cassetto di noce in mano.

Al momento in cui suonai il campanello seguì un periodo che ricordo con chiarezza assoluta, come se si trattasse di un solo istante durato quaranta giorni, durante i quali si sia svolta un'unica, lentissima scena. Come in un sogno vedo il sole fermo a tre quarti del suo cammino, inchiodato in un interminabile pomeriggio dorato. Le pieghe degli abiti chiari ondeggiano al rallentatore mentre, con uguale cadenza, le foglie passano dal verde al giallo, il profumo dell'olea fragrans si trasforma in quello del mosto, io divento amico della signora Besana e di Maria Giulia, e tutti i suoni delle due donne — dal battere dei tacchi al tintinnio dei braccialetti all'accento milanese — si convertono in una musica celestiale.

Ero sempre con loro, inebriato. Lo stesso inconfessabile snobismo frustrato, che stava alla base della mia originaria avversione, mi faceva fremere di delizia ora che avevo anch'io il diritto di immergermi nell'in-

37

comparabile armonia dello snaccherare dorato e degli errori di pronuncia.

L'ingegner Besana stava costruendo una diga in qualche luogo esotico; in casa ruotavano in continuazione ospiti disparati — vecchi parenti, amici di famiglia o personaggi più mondani — tutti accomunati dalla ricchezza. Io, che non avevo un soldo, ero sempre dei loro, alla pari. Li amavo tutti: la madre, la nonna, gli zii, gli amici sofisticati, la servitù, il cane. Ma quello che provavo per Maria Giulia era qualcosa di più perché — ora soltanto me ne rendevo conto appieno — di lei mi ero inguaribilmente innamorato a prima vista quando mi aveva sfiorato all'asta pubblica.

Lascio il racconto per preparare la cena. Eloisa mi segue in cucina. Le piace osservarmi quando lavoro in casa, o nel giardino, ma quando scrivo si annoia: non so darle torto.

Io invece mi sono divertita. Uscire così fuori da se stessi è come gettarsi col paracadute: grande emozione in ragionevole sicurezza. Mi piace usare un Io Narrante maschile; mi piace scrivere di una donna che non possa in nessun modo essere una mia proiezione. Un personaggio che non sono io racconta di un personaggio che non sono io.

E soprattutto mi pare un segno di grande maturità disegnare un personaggio femminile che non è me, una donna che è l'anti-me per definizione, e che viene subito e incondizionatamente amata. È come eseguire un esercizio difficile o penoso, che fino all'ultimo momento mi sembra superiore alle mie forze. Pronunciare una frase, magari sperando che non sia vera, ma ugualmente atroce da pronunciare. C'è una scarica di adrenalina, nel momento in cui decido di farcela, ed è molto più che un viaggio con l'Lsd, suppongo. Nel momento stesso in cui sento che mai potrò dirlo, eccomi già pronta, senza paura. Hoplà, signori: sono le altre, le creature antipodali, quelle che inopinatamente e gratuitamente suscitano amore, perché fino dall'inizio sono loro che meritano protezione e dolcezza, perché sono loro che vivono in armoniosa sintonia con il mondo — con le loro madri, per cominciare. Non come me che so-

no rimasta negli annali della famiglia per aver pronunciato —
come primo suono intelligibile — non mamma o papà o Tata o
pappa, ma l'imperdonabile "da sola", fatale punto di partenza
per un destino disarmonico e scompagnato. Le altre donne, quelle
che sono diverse e che perciò saranno amate, continueranno —
uscite dall'amoroso abbraccio delle loro madri — ad andare d'ac-
cordo a tutto spiano con tutti: amichetti dell'asilo, che rimarranno
amici per sempre; colleghe di lavoro con cui scambieranno ricette e
compiranno viaggi nella Camargue; figli, per cui confezioneranno
maglioni e sciarpe; adoratori provinciali che non le dimenticheran-
no per tutta la vita e il resto dell'umanità via via che passeranno
gli anni.

Non ho scritto niente né sabato né domenica, perché Marco
era a casa. Riprendo con una voglia matta di andare avanti.

Le dichiarai il mio amore, le illustrai la mia situazione economica, le mie prospettive; le chiesi di spo-
sarmi.

Non accadde nulla. Non mi accettò, non mi rifiu-
tò. Non rispose affatto. Tacque, mi sembra, o forse
cambiò discorso, o qualcosa venne a interromperci: la
smorzata fu così elegante che non ricordo nemmeno
come fu che la mia proposta scivolò sulla bella pelle
dorata di Maria Giulia Besana e cadde per terra. Neppure la signora Besana, che era evidentemente ben decisa a consegnare la figlia solo in mani danarosissime,
e che avevo considerato un sicuro ostacolo ai miei sogni, neppure lei si prese la pena di cambiare atteggiamento nei miei riguardi. Sapeva, naturalmente, ma la
cosa non la turbava. Avrei quasi desiderato che mi cac-
ciasse, che mi esiliasse con sdegno da quell'interminabile thé all'aperto: sarebbe stato il segno che rappre-
sentavo un pericolo e che, perciò, avevo qualche speranza.

Invece tutto continuò come prima. I miei rapporti
con Maria Giulia, per quei tempi, erano abbastanza intimi, ma questo non sembrava preoccupare nessuno.

Lei stessa, la madre e la famiglia intera si rendevano conto, immagino, che tutta la faccenda cominciava e finiva lì, in un tempo sospeso, senza alcuna parentela con il passato e con il futuro.

Fu un amore stagionale. Finita la vendemmia, le due Besana se ne tornarono a Milano e sparirono dalla mia vita. Durante il primo inverno andai qualche volta a trovarle, ma mi sembrava quasi di non riconoscerle. Quanto a loro mi guardavano con quegli occhi un po' sporgenti e pareva che non mi domandassero chi mai io fossi solo per cortesia, mancanza di curiosità, pigrizia e non perché davvero si ricordassero di me. Maria Giulia, placida, sbiancata dall'umidità invernale, si lasciava abbracciare come se si stesse facendo prendere le misure da un sarto, con una passività che era a tre quarti di strada tra l'arrendevolezza e l'indifferenza.

Dopo la terza volta non tornai più a Milano, e le milanesi non vennero più in vacanza dalla nonna. Io ibernai il mio amore per Maria Giulia in una regione del cuore dove non mi faceva troppo male e per vent'anni non seppi più nulla di lei.

L'ho incontrata di nuovo il mese scorso.

Era tornata nella mia città; me la sono trovata davanti, in uno stretto passaggio tra il banco frigorifero e una piramide di pelati in offerta speciale, mentre entrambi facevamo la spesa al supermercato. La seguivano due ragazzetti di dieci-dodici anni.

Era ingrassata, aveva l'aria stanca, sciatta; manifestava — nel passo pesante e sordo — qualcosa che posso definire solo come una terribile diversità: una diversità empia, sacrilega se l'accostavo all'altare della mia memoria. Persino le cose che aveva accumulato nel carrello mi sono sembrate improprie: melanzane, acciughe sott'olio, una treccia d'aglio, quattro o cinque pacchi di caffè, mozzarelle, un salamino secco — sottile e aggressivo, trasudante umori sanguinolenti e piccanti come un punteruolo arroventato.

Non posso dire che l'amore si sia risvegliato all'istante; per prima cosa ho piuttosto sentito l'impulso di proteggerla, salvarla. Ho cominciato con lo spingere il suo carrello fino all'uscita e col caricarle i sacchetti sulla macchina: una Bmw metallizzata targata Catania.

Durante queste operazioni ho appreso i fatti salienti della sua vita. Aveva seppellito padre e madre, e ora anche la nonna, da cui aveva ereditato la villa a Segromigno. Suo marito era un barone siciliano, in quel momento a casa perché non si sentiva bene. Non mi sono lasciato sfuggire l'occasione. «L'hai già fatto vedere da un medico?» ho detto. «Quella di quest'anno è un'influenza noiosa.»

Forse le mie parole l'hanno messa in allarme, o forse neppure lei ha voluto lasciarsi sfuggire l'occasione. «Tu sei medico, no?» ha risposto con prontezza «sii gentile, vieni a dargli un'occhiata. Dopo potremmo fare colazione insieme. Voglio sapere tante cose di te.»

Il barone non aveva niente di grave. Sedeva su una poltrona fumando una sigaretta infilata in un lungo bocchino d'ambra. Era avvolto in una vestaglia di seta, al collo aveva annodato un foulard bianco. Impeccabile, curato amorosamente da se stesso e da tutta la famiglia, teneva le labbra atteggiate a una perpetua smorfia di disprezzo. Chiedeva le cose con un cenno impercettibile del dito, le rifiutava piegando il capo all'indietro di un mezzo centimetro, le palpebre pesanti abbassate sugli occhi neri. Mi pareva arrogante, volgare, crudele; e quello che più mi turbava era che avesse il potere di procurarmi una così profonda impressione negativa con un così modesto impiego di mezzi. In fondo lui si limitava a starsene lì, come una imperturbabile divinità orientale.

Al di fuori della persona del barone tutto era nel caos più indescrivibile. Maria Giulia andava su e giù dalla cucina alla sala da pranzo mentre preparava da mangiare e apparecchiava la tavola. Non c'era una domestica e non era evidentemente previsto dalle leggi della famiglia che qualcuno dei suoi uomini l'aiutasse.

Quando ci ha chiamati ci siamo seduti attorno a un tavolo coperto da una tovaglia di pizzo piena di macchie, facendoci strada tra palloni da football, pattini a rotelle, giornalini strappati, carte di caramelle, frammenti di giocattoli. Tutto era corroso, scardinato, sporco; i due ragazzi procedevano sotto lo sguardo tollerante di Maria Giulia a completare l'opera di distruzione dondolandosi sulle sedie, prendendo a calci il tavolo, pulendosi le mani unte sulle fodere di broccato.

Ho chiesto da quanto tempo avessero preso possesso della villa: un mese, mi hanno detto. I due piccoli delinquenti devono aver fatto gli straordinari, ho pensato.

Durante il pasto nessuno mi ha rivolto la parola, neppure Maria Giulia. La conversazione si è svolta tutta tra loro quattro, su temi strettamente interni — cugini, zii, scuola — in un indistinto borbottio a denti stretti di cui, senza rimpianto, perdevo due parole su tre. Maria Giulia parlava come loro, con lo stesso accento, con la stessa apparente riluttanza a lasciarsi capire da chiunque non fosse parte del clan.

Sono scappato via subito dopo il caffè, lasciando una ricetta per un paio di medicamenti innocui e inutili. Provai un grande sollievo nell'uscire da quella casa, e tuttavia ero ben deciso a ritornarci. Mi sembrava di non avere mai amato Maria Giulia prima di quel giorno. Solo ora che la vedevo così, dilaniata da quei tre gaglioffi, il mio sentimento poteva dirsi completo, generoso. Vent'anni prima chissà che non ci fosse anche in me qualche traccia di quegli stessi abbietti motivi che avevano spinto il barone (nullatenente e nullafacente, mi ero informato) a sposare una donna ricca. "Troppo facile, mio caro dottorino", dicevo al me stesso di allora. "Una bella ragazza, ben imparentata, figlia unica di genitori danarosi: ti piace, dici? Lo credo bene."

Ma ora era diverso. Avevo fatto una gran carriera, ero uno dei venti medici meglio pagati d'Italia: il mio amore lo potevo offrire su un vassoio d'oro. Sentivo con orgoglio che portare via Maria Giulia da quella famiglia non sarebbe stata solo la mia felicità: era anche il mio sacro dovere.

Ho cominciato a frequentare con regolarità la villa di Segromigno. La scena era sempre la stessa: il barone si faceva servire, i ragazzi fracassavano tutto, Maria Giulia sfacchinava e pagava i conti.

La notte sognavo la mia Milanese come una bella cerva bianca sbranata dai cani. Perché, perché? Ricordavo il suono del suo passo, dei suoi bracciali: una marcia imperiosa, gagliarda... come aveva potuto adattarsi a quell'umiliazione? Quel suo stanco, pesante spostarsi sulle espadrillas sformate per servire l'uno o l'altro dei suoi padroni, quel sorriso incerto di chi si aspetta da un momento all'altro un'esplosione di collera, quel suo totale aderire a un personaggio che — per fortuna — è ormai fuori corso e non assomiglia più a nessuna donna reale, ma che in ogni tempo e luogo sarebbe stato completamente estraneo a lei: tutto questo, come lo si poteva spiegare? Il ricatto sessuale? Forse che Maria Giulia era vittima di un irresistibile trasporto dei sensi per il bel marchettone dalle basette nere?

Scartai quell'ipotesi che molto mi disgustava e mi convinceva poco. Preferivo pensare che una donna forte e sicura come lei fosse in un certo senso costretta dalla propria indole ad essere forte e sicura anche nello stare ai patti: aveva sposato il barone e ora doveva tenerselo. Ma io l'avrei salvata anche suo malgrado.

Tornai a confessarle il mio amore, tornai a proporle di unire la sua vita alla mia. L'accompagnavo al supermercato, l'aiutavo a caricare e a scaricare l'auto di fronte alla lavanderia, l'andavo a prendere dal tappezziere, la conducevo dall'idraulico e dal piastrellista; tra l'una e l'altra di queste imprese la portavo nel mio appartamento e le esponevo i miei progetti.

Si sarebbe separata dal barone; lui, addolcito da un adeguato assegno alimentare, avrebbe rinunciato a ogni pretesa sui ragazzi. Io li avrei accolti come figli miei, provvedendo a loro con la massima larghezza. Lei avrebbe dovuto solo riposarsi, lasciarsi amare ed essere felice.

Maria Giulia mi ascoltava. In tre settimane si convinse. Quei quindici anni, durante i quali ci eravamo persi, sparirono dalla storia. Eravamo uniti, complici, innamorati.

Il lieto fine era a due passi.

Poi ci fu quel piccolo episodio, la settimana scorsa. Eravamo in casa mia, lei si stava rivestendo e io la guardavo dal letto. Dissi qualcosa, una battuta, e lei rise. Venne vicino a me, mi dette un bacio e rise ancora. «A domani», disse, e se ne andò.

Rimasi solo, col suono della sua risata nelle orecchie, a domandarmi cosa fosse stato a farmi trasalire. Era qualcosa che avevo riconosciuto, qualcosa che avrei preferito non riconoscere.

Continuai a pensarci mentre mi alzavo e mi rivestivo.

Solo quando fui davanti allo specchio per farmi il nodo alla cravatta, all'improvviso capii.

Mi guardai bene in faccia sforzandomi di ridere. Tornai serio e risi ancora, poi ancora, mentre il cuore mi si faceva sempre più triste. Cercai di portare alla mia consapevolezza qualcuno dei miei piccoli gesti involontari, certi modi di dire abituali, l'intercalare, l'accento. Eseguii una perfetta imitazione del professor Roberto Pasi e la osservai attentamente. Non c'era dubbio.

Non c'era dubbio: la risata che era uscita poco prima dalla gola di Maria Giulia era la mia risata e tutta la sua persona, da qualche tempo a questa parte — e ogni giorno, a rotta di collo, sempre di più — era il mio fedele ritratto.

Fu un lampo che squarciò le tenebre di vent'anni e mi fece vedere tutto chiaro fin dall'inizio, a cominciare dal crepitio e dal tintinnio del primo giorno.

Come avevo potuto non accorgermi, allora, che solo i tacchi della signora Besana colpivano il pavimento con autenticità, solo i suoi bracciali risuonavano in modo convincente, mentre Maria Giulia crepitava e snaccherava unicamente per obbedienza, per mimesi, per spirito di corpo? Possibile che avessi avuto così poco orecchio?

Solo ora lo capivo: la mia Milanese non era una solista. Aveva bisogno, per esistere, di essere inserita in un coro — andava bene anche un duo, un trio, un quartetto. Un organismo collettivo, in ogni caso, nel quale mimetizzarsi in totale omertà. Maria Giulia era un animale incompleto, capace di vivere solo in un "noi" simbiotico.

Nel mio cuore, fino dal primo incontro, l'avevo sempre chiamata "la Milanese": la figlia della nostra città più forte, più cosmopolita, più autorevole. Ora il medesimo nome mi appariva nell'altra sua accezione, quella gastronomica: una fettina di carne che acquista consistenza, sapore, significato grazie a una crosta aggiunta di uovo sbattuto e di pangrattato. La mia Milanese si era integrata senza riserve nella sua famiglia d'origine, poi in quella del barone; ora stava già cominciando ad assomigliare a me.

Non ero lusingato: ero atterrito. Sentivo che stavo per andarmi a rinchiudere nella trappola più stretta che si possa immaginare, un'orrenda, irrespirabile cellula nella quale contemplare ogni giorno, come in uno specchio, la risata, i gesti, i tic, le opinioni del professor Pasi, dermatologo.

Mi precipitai alla scrivania e cercai affannosamente tra i mucchi di corrispondenza inevasa. Ecco la lettera, la vistosa intestazione a caratteri dorati: Le Ministère de la Santé Nationale e, sopra, la bandiera con due banane e una noce di cocco in campo verde.

Scrivo dalla veranda dell'Hotel Imperial, che si affaccia sul lago Tiwisunga. Domattina le autorità locali mi porteranno a visitare il primo degli ospedali che dovrò riorganizzare e dirigere. Il clima è meno caldo di quanto temessi, le ragazze che passeggiano sul lungolago mi sembrano molto belle, come pantere nere armoniose e imperscrutabili.

Ho firmato un contratto per dieci anni. In Italia non ho lasciato il mio indirizzo africano a nessuno.

I cani hanno sentito la macchina di Marco. Metto via tutto e gli vado incontro. Passando davanti allo specchio dell'ingresso controllo se i capelli sono a posto.

Sono le otto di sera, la luna è già alta e l'aria dolcissima.

Il terzo racconto

Pieve San Martino, inverno 1965

Campane nuziali

Oggi sono uscito presto dallo studio. In casa non c'era ancora nessuno, tranne la domestica che prepara il pranzo. Mia moglie passerà a prendere la piccola al tennis e rientrerà tra mezz'ora. Poco dopo arriveranno uno dopo l'altro i figli più grandi.

Vado a sedermi nella penombra del soggiorno. Le tende — come sempre a quest'ora e in questa stagione — sono accostate per attenuare il riverbero diretto del sole e quello ancora più accecante riflesso dalla superficie immobile del mare; gli oggetti d'argento e di porcellana, scrupolosamente lucidati, sono distribuiti sui piani ugualmente impeccabili dei mobili, ognuno al posto che occupa da anni. Il solo elemento variabile, il mazzo di fiori nel vaso cinese sul pianoforte, è oggi un fascio di quei grandi gigli bianchi dall'intenso profumo, comunemente chiamati campane nuziali.

Ve la ricordate? Naturalmente no. Oggi tutti hanno dimenticato la grande Eleuteria Papastratos, *l'altra* stupenda primadonna greca di quegli anni lontani.

Si assomigliavano persino — Eleuteria più bella, più statuaria, ma con lo stesso fuoco negli occhi. I giornali insinuavano che si temessero a vicenda, anche se tra loro non poteva esserci rivalità diretta. Regnavano incontrastate, rispettivamente sul mondo della lirica e su quello del teatro tragico, ognuna tenendo d'occhio l'altra come due sovrane di reami confinanti.

Un destino che sembrava parallelo e che solo alla lunga si è dimostrato opposto, quello delle due magnifiche creature gemelle, uscite direttamente dalla antica mitologia del loro paese: poiché la Callas non morirà mai, mentre Eleuteria Papastratos è morta, sepolta, sparita. Peggio: non è mai esistita.

E tuttavia vorrei pregarvi di scavare nella vostra memoria e di seguirmi nel ricordare, mentre il profumo un po' cimiteriale di questi fiori risveglia per me i fantasmi del passato.

Era un'attrice insuperabile: bellissima, vibrante, regale. La più grande Elettra di tutti i tempi. Recitava le tragedie classiche nell'antica lingua in cui furono scritte: e questo tanto negli anfiteatri di Grecia o di Sicilia quanto al di fuori del loro ambito naturale — in tournées speciali a Broadway, al santuario scespiriano di Stratford on Avon, alla Comédie-Française. Ma il tempio dove Eleuteria Papastratos era sacerdotessa somma — meta di devoti pellegrinaggi da parte dei turisti stranieri, del popolo greco e del giovane re, — era il teatro di Epidauro. Lì la grande attrice dava il meglio della sua arte; e se anche erano ben pochi, tra il pubblico, a capire le parole del testo, tutti deliravano ugualmente per lei. Non c'era emozione che la sua voce, il suo portamento, i suoi occhi celeberrimi non sapessero prodigiosamente amplificare e comunicare a ognuno. Cadevano le barriere della lingua e anche quelle del censo. I colonnelli non avevano ancora preso il potere: si può dire che Eleuteria Papastratos abbia personificato l'ultima gloriosa fiamma della democrazia greca prima degli anni bui; poiché amore e odio, incesto e vendetta — espressi dal suo ineguagliabile talento — viaggiavano senza sforzo per sessanta metri fino alle ultime panche da trenta dracme in cima alle gradinate del teatro di Epidauro, suscitando identici brividi nelle poltronissime come nei posti popolari.

La sua storia d'amore con il mio amico Baciccia Parodi fu quindi una specie di fenomeno elettrico, come quando scocca la scintilla tra due poli opposti; perché Baciccia è, come sono anch'io, la cosa più simile a un inglese che possa nascere fuori dalle isole britanniche: un genovese.

Alto, chiaro — descrivo lui ma è come se descrivessi me stesso — legnoso, vagamente equino; sportivo, leale, riservato al massimo grado, privo di fantasia.

Figli di due ex compagne di banco all'Assomption, lui e io siamo cresciuti di pari passo — stesso liceo, stessa compagnia di amici, stesse vacanze: in luglio io ospite della sua famiglia a Rapallo, in agosto lui ospite della mia a Courmayeur. A diciott'anni ho castamente corteggiato una sua cugina; nello stesso periodo lui ha vinto, in coppia con mia sorella, la gara di doppio misto nel trofeo "Andrea Doria" del Tennis Club.

All'università abbiamo fatto scelte diverse — lui economia e commercio, io giurisprudenza — ma per l'identico motivo: entrare, come ci si attendeva da noi, nelle rispettive ditte paterne; poiché scrupolosamente corrispondere alle aspettative in noi riposte dalla famiglia e dalla società è stato, per Baciccia come per me, punto d'onore essenziale sempre, con l'eccezione, per lui, di quell'estate di dieci anni fa.

Sento il familiare canto, simile al gorgogliare di una fontana. Abbandono un attimo la macchina da scrivere per affacciarmi alla finestra. I gruccioni sono uccelli abitudinari; ogni mattina a quest'ora lasciano la vecchia cava di sabbia abbandonata dove hanno le loro gallerie, e traversano da ovest a est lo specchio di cielo sopra alla nostra casa per andare a caccia di api e di vespe tra le acacie e le ginestre della tenuta Traxler. Li seguo con gli occhi, cercando di individuare ogni colore della loro impareggiabile livrea — la sottile riga nera che separa il giallo della gorgiera dall'azzurro lavanda del petto; il lampo fulvo sotto le ali, il verde del dorso.

In realtà, da questa distanza e contro luce, ho solo una fugace eccitazione della retina; il cervello, con rammarico, deve rinunziare a indagare quali colori l'abbiano provocata.

Se fossi un pittore dipingerei questo: l'impressione di un istante che non fa in tempo a fissarsi sotto nessuna forma riconoscibile; solo che quella non potrà mai essere la mia autentica strada, e non solo perché non sono un pittore. Le impressioni di un istante non sono la mia specialità. Marco dice che il mio amore per la natura è pedante, e non ha torto. Ho bisogno di sapere il nome dei fiori e degli uccelli, di conoscere la differenza tra un petalo e un sepalo, tra una remigante e una timoniera, di prevedere la data di arrivo e di partenza dei migratori. Ogni mio amore, e quindi anche ogni mio impulso creativo non riesce a diventare degno e credibile ai miei stessi occhi se non lo integro in un sistema di misure: larghezza, lunghezza, profondità, peso specifico. Ogni mio amore è pedante: osservo la flora, la fauna, le stagioni, le eclissi lunari, le piogge di meteoriti estive come osservo Marco, Eloisa e Nicola; i primi due continuamente, da vicino; l'altro anche continuamente, ma non sempre da vicino; spesso invece con l'immaginazione o con la memoria. E tuttavia Nicola — lontano o vicino — è, come Eloisa, mio, nato da me; e la mia attenzione su entrambi si esercita in forma raggomitolata, chiusa in un uovo, in qualche modo interna, e tutti e tre formiamo qualcosa che mi fa pensare a una scimmia che spidocchia i suoi scimmiottini — una palla di pelo omogenea, nella quale è difficile distinguere dove comincia un corpo e ne finisce un altro.

Sarà sempre così, per quante separazioni geografiche possano avvenire tra noi. E la cosa fantastica è che il triangolo è e sarà sempre, malgrado tutto, equilatero: ugualmente stretto e forte il legame tra me e Eloisa, che siamo sempre insieme, quanto quello tra me e Nicola, che ci incontriamo di tanto in tanto; e — magicamente, né più né meno di questi due nodi — è forte e stretto quello che unisce Eloisa e Nicola, che non si sono mai visti.

Marco invece è fuori di me, diverso da me, misterioso, inquietante. Osservare lui è un'impresa strenua. È un sorvegliare, piut-

tosto che un osservare. Come si sorvegliano, da un avamposto, le mosse del nemico. Senza un attimo di riposo, perché l'inaspettato può sempre arrivare, da chi è estraneo per definizione, per presupposto contrattuale.

Conosco delle coppie — non tutte consumate da una lunga stagionatura nello stesso barile — omogenee in modo stupefacente, ogni metà identica all'altra, come due indistinguibili sardine sotto sale. Dicono "noi" con cauta aggressività. "Noi" usiamo sempre il thé sciolto e mai quello in bustine (o sempre in bustine e mai sciolto). Spalla a spalla formano un muro di omertà privo di brecce a difesa di ogni loro opinione, che è sempre petulantemente comune. Siamo in due, badate bene, a testimoniare circa la superiorità della confezione in bustine (o in barattolo di latta). Non sarà tanto facile contraddirci. "Noi" passiamo ogni anno quindici giorni a Abano (o a Saint Kitts, o a Riccione). "Noi" crediamo nella liberalizzazione della droga (o nella penalizzazione del fumo).

Mi chiedo sempre cosa abbia potuto mettere in moto tra di loro il magnetismo che li ha spinti l'uno verso l'altra, perché non riesco a immaginare che possa verificarsi in natura un'attrazione amorosa senza una insanabile, reciproca estraneità. Come è possibile amarsi senza essere estranei e possibilmente nemici?

Però è anche vero questo: come si può aver pace, in due, senza essere identici e incrollabilmente amici?

Da questo pensiero non proprio ossessivo, ma vagamente molesto, è nato il racconto che sto cercando di finire: una storia di somiglianza e di differenza, credo, e vorrei dedicarla al mio amore-nemico.

Vado avanti molto lentamente; un oscuro timore mi impone di distanziare i racconti. Tra l'uno e l'altro continuo a fare diverse cose. In un libro di ricette scritto a mano dalla mia bisnonna piemontese ho trovato i biscotti di meliga, lo sciroppo di ratafià e altre squisitezze passate di moda; così ora ho, nella mia dispensa, una sezione antiquaria molto raffinata.

E se scrivo lo faccio solo quando Marco è in studio, a trenta chilometri da casa. Dai tempi in cui sembrava che non saremmo mai riusciti a vivere insieme mi sono portata dietro anche oggi, nella nostra vita in comune, il senso della preziosità della sua presenza. Quando Marco è con me ho solo voglia di stare pienamente ed esclusivamente con lui — in giardino, a letto, al cinema, in giro per il bosco.

Vedrà la macchina da scrivere aperta su un tavolino; vedrà la piccola pila dei fogli scritti che crescerà di giorno in giorno. Non mi domanderà niente, e io non gli dirò niente. Tutto sta a vedere cosa accadrà quando avrò finito.

Ci eravamo da poco laureati e avevamo cominciato a lavorare: lui alla Parodi Legnami, io come galoppino di mio padre e di mio zio nel vecchio studio legale di famiglia.

Per qualche tempo le circostanze avevano interrotto i quotidiani contatti tra me e Baciccia. Nel mese di giugno era stato lui a lasciare Genova per un lungo giro tra i produttori di legname del Canada; poco prima del suo ritorno io partii per Roma, al seguito di mio padre, che aveva una causa in Cassazione.

Rientrai a Genova a metà luglio e lui era già ripartito; ma non per Rapallo né per Courmayeur, dove non si fece vedere per tutta l'estate.

Venne il settembre, e il mio amico era apparentemente scomparso dalla faccia della terra. Questo non era normale; doveva esserci sotto qualcosa. Le sue sorelle erano evasive; la madre in perpetuo conciliabolo con il segretario particolare dell'arcivescovo, suo consigliere spirituale e confessore.

Un comportamento misterioso da parte di Baciccia Parodi mi disorientava, cosicché io, che lo conoscevo meglio di tutti, non riuscivo a formulare ipotesi, mentre la città ne costruiva a dozzine: dal male incurabile all'ammanco alla cassa della Parodi Legnami.

Cominciavo a dubitare che la sacra legge della discrezione a ogni costo dovesse rimanere in vigore anche in un caso così eccezionale; già mi proponevo di mettere garbatamente alle corde Clotilde, la preferita tra le sue sorelle, per avere notizie del mio amico; ma non ce ne fu bisogno perché, mentre ancora stavo considerando quale potesse essere l'approccio più adatto, fui convocato da Sebastiano Parodi nel suo ufficio sopra la segheria di Sampierdarena.

«Siediti» disse. Andò a chiudere la finestra dalla quale entrava un lancinante frastuono di macchinari al lavoro. Tornò verso il centro della stanza, si strofinò le mani come per lavarsele, cominciò a camminare avanti e indietro.

«Mio figlio sta per fare la belinata della sua vita» disse infine. Ora che aveva trovato l'attacco andò a sedersi alla scrivania. Mi spiegò che Baciccia si era innamorato di Eleuteria Papastratos, la famosa attrice tragica greca. «L'ha incontrata in Canada» sospirò. «Lui era lì per lavoro e lei anche. In tournée. Recitava quelle cose antiche. Eschilo, Sofocle.»

Cercai di raffigurarmi come si potesse essere svolto l'incontro. Sia Baciccia che io stesso apparteniamo a una categoria di persone che molto difficilmente fanno nuove conoscenze. Tutta la nostra cerchia di relazioni è predisposta per noi alla nascita — amici di famiglia, clienti e fornitori ereditari, luoghi di villeggiatura, scuole, matrimonio. Siamo corazzati contro l'avventura — anche minima — quasi avessimo ricevuto da bambini un vaccino anti-imprevisto, assieme all'antivaiolosa e all'antitetanica. Sicuramente l'attrice doveva aver fatto la prima mossa; ma anche la seconda e la terza, per penetrare le difese di Baciccia.

«È una cosa seria» seguitò Sebastiano Parodi. «Ha voluto a tutti i costi presentarmela. Sono andato a Londra apposta. Una bella donna, questo sì. Mi sono informato anche dal lato moralità: niente da dire, pare.» Trasse un altro sospiro dalle profondità del suo cuore di padre. «Certo, preferirei una ragazza che conosciamo, una delle nostre. Ci sono tante belle figliole che ho visto crescere coi miei occhi... Perché non gliene è piaciuta una qualsiasi di quelle? Me lo sai dire tu? Ma è andata così. Del resto non è come se fosse una del cinema: persino io so vedere la differenza. E poi Baciccia è un originale e una cosa del genere dovevamo aspettarcela.»

Credo di aver già illustrato che l'originalità di Baciccia è simile a quella che può avere un blocco di granito, ma non obiettai. «E allora» dissi, «dov'è la belinata?»

«La belinata è che vogliono sposarsi, e fin qui pace; ma lei è famosa, ci tiene al suo mestiere — insomma non vuole lasciare la Grecia e il teatro. Ti rendi conto? C'è rischio che sia Baciccia a lasciare...» Si guardò attorno: i cubetti di legno di tutte le essenze europee ed esotiche sparsi sulla scrivania; gli schedari; la cornice polverosa con il diploma di grand'ufficiale; la finestra oltre la quale ruggivano le seghe a nastro. Sospirò ancora: «Lui potrebbe perdere tutto questo — il suo avvenire, la sua vita — e noi potremmo perdere lui».

«Non accadrà» dissi. Come poteva Baciccia Parodi vivere in Grecia, o ramingo per il mondo da un teatro all'altro, immerso in un ambiente disordinato, stravagante, artistico? Rinunciare alle sue abitudini, ai suoi orari — il tennis tre volte alla settimana, la Sampdoria alla domenica, il dinghy a Rapallo, la sera il gelato a Boccadasse? «Non devi preoccuparti» ribadii con fermezza, «non può accadere.»

«Appunto. Ed è qui che entri in ballo tu. Tu devi impedire che accada.»

Si alzò dalla poltrona e riprese a camminare su e giù. «È molto semplice, perché le ipotesi sono solo tre» continuò. «Primo: litigano. Si lasciano. Le pene d'amore guariscono e buonanotte. Inutile dire che sarebbe la soluzione ideale, ma non mi sembra probabile. Secondo: lei rinuncia al suo mestiere, si sposano e noi l'accogliamo come una figlia. Anche questo può andare, ti ho detto che è una donna come si deve, niente da obiettare. Terzo: lui rinuncia alla sua città, al suo lavoro e va a fare il pagliaccio — senza una çasa, senza figli — alle spalle di una sciantosa. Ed è contro questa possibilità che tu devi lavorare. In fondo si tratta solo del 33,33 per cento: dovresti farcela. »

Sebastiano Parodi non è privo di difetti, ma è un uomo coerente. Se prima aveva ammesso che un'attrice di teatro era un'altra cosa, rispetto a una diva del cinema, e dopo trenta secondi la definiva "una sciantosa" doveva essere molto vicino, compatibilmente con la sua natura flemmatica, ad aver perso la testa.

« E io cosa dovrei fare? » chiesi.

« Te lo dico io cosa devi fare. Sei mai stato in Grecia? Ti offro una vacanza. Vai laggiù, prendi Baciccia e lo riporti a casa. »

« Non credo che sarà tanto facile » osservai.

« Invece sì, perché tra quindici giorni, come sai bene, si sposa Clotilde. Se riesci a fargli intendere che *deve* essere presente al matrimonio di sua sorella sarà già qualcosa. »

Mi guardava fisso, sforzandosi di convincermi non tanto a partire quanto a seguirlo nel suo strenuo ottimismo. Con gli occhi mi supplicava di promettergli che ce l'avrei fatta, ma io avevo imparato la prima legge del mio mestiere, che è quella di non incoraggiare mai le speranze del cliente.

« E se non ne volesse sapere di allontanarsi dalla sua amica? »

« Che se la porti dietro. Noi non chiediamo di meglio. Una volta che è venuta a Genova, che ha preso parte al matrimonio di Clo seduta nel banco di famiglia, il gioco è fatto. » Appoggiò una mano sulla mia guardandomi fisso. « Ti dirò di più: lo sa anche lei. Tanto è vero che, da quando ha conosciuto Baciccia, si tiene alla larga dall'Italia come se ci fosse il colera. Te l'ho detto, ho dovuto andare io a Londra per incontrarla. Ha paura di mettere la testa nella trappola... di impegnarsi con la famiglia. È per questo che mando te. Separali oppure portali qui tutti e due, al resto penso io. Hai capito? Inventa qualcosa. Parla con Baciccia; fagli capire quanto soffrirebbe Clo se lui non venisse al matrimonio. Prendilo sul sentimento. Sei un avvocato, no? Convincilo, è il tuo mestiere. »

Così volai ad Atene, presi una macchina a nolo, traversai il canale di Corinto, proseguii fino a Patrasso e poi ancora verso sud; dopo di che mi persi in una regione semideserta di dune sabbiose.

Anche noi due, quattro anni fa, in questa stessa stagione, siamo arrivati nel Peloponneso di sera tardi, con la mia vecchia cinquecento targata Pistoia. La nostra fuga aveva lasciato indietro tutto: quattro genitori infuriati, amici costernati, il suo lavoro, la mia reputazione. Senza rimpianti, anzi. La posizione in cui ci trovavamo in rapporto all'autorità della famiglia e della società ci appariva bella, ardita, moderna e di sinistra. Avevamo però anche, in comune, qualche disagio di carattere più intimo: rimorsi, in sostanza, nei confronti del marito — mio — e della moglie — sua — che senza preavviso si erano visti piantare in asso. Quello che mi portavo dentro da sola, invece, era una caverna nel cuore, che si allargava sempre più mentre cresceva il dubbio che non sarebbe stato così facile, come avevo sperato, al nostro ritorno riprendermi il bambino che, prima di fuggire, avevo piazzato dai miei genitori. Cominciavo a prevedere l'implacabile opposizione dei suoceri. A temere che avrebbe avuto la meglio sul buon senso del mio intelligente e sfortunato marito. A immaginare come si sarebbe manifestato, nel concreto caso di bisogno, quello strano sentimento che mia madre mi aveva sempre dimostrato, composto in parti uguali di ambizione esigentissima e di misterioso rancore. A ricordare che debole alleato fosse sempre stato mio padre, già dall'inizio, partendo dai primi ricordi di infanzia, fino a giungere alla cerimonia nuziale in cappella con gli invitati in tight: come potevo sperare di trovare in loro una calda e affettuosa solidarietà capace di influenzare le decisioni di Carlo, proprio nel momento in cui li svergognavo di fronte a tutti con la mia condotta disdicevole?

Era come se potessi vederlo, Nicola, nella casa di via Giulia, nella camera che era stata la mia; come se sapessi in ogni istante cosa stesse facendo. Era circondato dai giocattoli che mia madre scovava per lui non si sa dove: stravaganti, fantasiosi e tali da fare apparire i tesori di ogni altro bambino ovvii, volgari e sempre di un valore sbagliato per eccesso o per difetto: meschini o pretenziosi.

Giocava da solo, mentre la puericultrice lavorava a maglia ascoltando le canzoni di Pat Boone dalla sua radiolina giapponese. Il mio bel ragazzino di tre anni, che non era mai stato un bambino. Non era mai stato paffuto, non aveva mai fatto un capriccio, non aveva mai sbagliato un verbo in maniera buffa, non mi aveva mai strappato il cuore con un gesto patetico... La caverna si allargava, eppure ero lì, e rimanevo lì. Non c'era nulla che contasse se non stare con Marco, per sempre, a tutti i costi.

Viaggiavamo lungo una strada sterrata; la benzina era quasi finita e dovevamo trovare al più presto un posto per dormire. Guidava Marco; ci accostammo sulla sinistra e lui, seduto sul lato più vicino al bordo erboso, fermò una vecchia che conduceva un somaro. Abbassò il vetro e pronunciò, in italiano, cinque parole che definirono una volta per tutte la nostra condizione umana e amorosa. Disse: «Dove posso trovare un albergo?».

La donna, naturalmente, non capì; io rimasi immobile, silenziosa, lasciando che Marco ripetesse a voce sempre più alta e scandita «ALBERGO, ALBERGO!». Attesi qualche minuto prima di intervenire con la parola magica.

Mi appoggiai alle ginocchia di Marco e mi sporsi verso la donna. «Hotel» dissi.

Subito ottenemmo le più ampie indicazioni. Ci rimettemmo in moto e, mentre percorrevamo gli ultimi chilometri, riflettevo sull'affascinante sconosciuto che sedeva accanto a me. Io non sentivo il richiamo dell'affinità, al contrario. Marco mi aveva incantato e seguitava a incantarmi proprio perché sotto molti aspetti lo vedevo come un incomprensibile alieno; ma, mi dicevo, come riuscirò a comunicare con questo alieno così poco versatile? Sapremo — procedendo a piccoli passi, ognuno nella direzione dell'altro — svilup-

pare un codice accessibile a entrambi, oppure ogni futura possibilità di capirci dipenderà — da oggi e per sempre — dalla mia disponibilità ad adattarmi, a esplorare i canali possibili, a stendere i tentacoli indispensabili? Quali mutazioni dovrò imporre a me stessa, quali nuovi organi sviluppare e quali atrofizzare?

Quella parola — albergo, albergo — ripetuta ottusamente nelle orecchie di una vecchia contadina greca mi sembrava il segno di una così abissale incapacità di tener conto degli altri che non potei fare a meno di attaccare briga. «Perché non hai detto hotel, una parola che conoscono in tutto il mondo?»

Mi guardava con gli occhi innocenti di uno che non capisce assolutamente di cosa si stia parlando. La mia irritazione era grande e non poteva spegnersi da sola: la deviai. «Perché non abbiamo fatto benzina a Patrasso? Perché non stai attento alle buche?» Non potevo dirgli "perché Nicola non è figlio tuo? perché non c'eri tu, accanto a me, in tight, all'altare della cappella? Perché non ci siamo conosciuti prima? Perché mi fai correre il rischio di perdere il bambino?".

E meno ancora potevo dirgli altre cose, che a me stessa non erano chiare fino in fondo: "Perché queste orribili complicazioni che mi addolorano, in fondo solleticano la mia vanità, dandomi la sensazione di partecipare a una festa mascherata, in costume da donna fatale? Perché devo considerare un miracolo il fatto che tu ti sia innamorato di me? Perché mi sono convinta che essere amata da te sia la misura definitiva del mio valore, l'indelebile e prestigioso cartellino del mio prezzo?".

Mi fermavo a tutti i villaggi — per lo più un platano e tre case, niente distributore di benzina e niente telefono — ma nessuno sembrava conoscere il luogo dove era alloggiato Baciccia con la sua attrice, un alberghetto sulla spiaggia che rispondeva all'esotico nome di Honoloulou Beach.

Annottava, il serbatoio era quasi vuoto e io stavo pensando di fare ritorno a Patrasso, dove, almeno, avrei trovato un letto per dormire.

Feci l'ultimo tentativo con il conducente di un vetusto furgoncino che sobbalzava davanti a me sulla strada polverosa. Lo superai e gli feci cenno di fermarsi. Il veicolo recava scritto in caratteri azzurri: "Socrates Vassilopoulos — METAFORA" e il suo carico era costituito da sedie, tavoli, una cucina a gas, materassi e letti di ferro. Mi resi conto che l'attività esercitata dal signor Vassilopoulos era quella del traslocatore: mi trovavo in un paese dove le parole sacre alla cultura del mondo intero, quelle in cui si articolano le più sottili astrazioni, hanno mantenuto l'antico patto con le persone e le cose reali, adibite all'uso quotidiano e concreto come quel furgoncino, quelle sedie, quei letti. Ero in Grecia, accidenti, dove "traslochi" si dice "metafora", e dovevo vedermela con una donna che, all'improvviso, mi sembrava essere Elettra, Clitennestra, Medea e altre creature allarmanti, tutte riunite insieme e per di più in carne e ossa.

Nel momento stesso in cui mi si faceva chiaro che in fondo all'anima speravo di non trovare l'hotel Honoloulou Beach, ecco che il signor Vassilopoulos, neanche a farlo apposta, lo conosceva ed era in grado di indicarmelo. «Ma non è un albergo», disse. «È un villaggio turistico, tutte piccole case disseminate tra le dune in mezzo ai pini. Ed è inutile che vada» aggiunse, «perché in questa stagione è chiuso.»

Mi costrinsi ad andare lo stesso, e trovai che il posto era effettivamente chiuso — niente bar, ristorante, servizio, e per giunta la luce elettrica staccata; ma c'era un custode. Appena si convinse che non ero un ispettore della direzione, ammise di aver dato illegalmente uno dei bungalow a una coppia. «L'ho fatto solo perché ho un cuore generoso» disse, intascando la banconota che gli avevo offerto. «Lei può avere quello di fronte, il numero 9. È meno elegante, tuttavia troverà che c'è tutto l'indispensabile per sopravvivere.»

Così era, infatti, ma niente di più. Il mio bungalow era un box di lamiera quasi interamente occupato da due brande, un lavandino, un fornello a gas; era stato piazzato sopra una duna, una siepe di ligustro lo circondava interamente ed era ombreggiato da un enorme pino marittimo che, impedito dal vento a crescere verticalmente, si allargava solido come un tetto a due metri da terra.

« I suoi amici hanno il numero 7, il più bello » disse il custode. Me lo indicò: proprio davanti al numero 9, a trenta metri di distanza, su un'altra piccola duna. Era in muratura con grandi finestre e composto di due stanze con bagno. Il soggiorno, con il suo cucinotto di formica rossa, non aveva tende e dava verso di noi. Era illuminato da una lampada ad acetilene. Baciccia stava seduto su una poltrona di vimini; accanto al tavolo una splendida donna bruna affettava dei pomodori in una scodella azzurra.

Scrissi poche righe su un pezzo di carta — non volevo piombare come un rinoceronte nella vita di quei due. « Passando, porti questo al signor Parodi, per cortesia » dissi al custode.

Rimasi al buio, davanti al mio box, a osservare la consegna del biglietto. Da quella distanza non potei interpretare i sentimenti di Baciccia, che del resto è sempre abbastanza indecifrabile anche da vicino; ma con la grande Eleuteria Papastratos fu diverso. Ebbi la prova delle incredibili doti balistiche del suo talento espressivo, poiché tutto ciò che essa provò nel cuore e manifestò con la mimica e con la parola — sospetto, collera, gelosia, ogni squisita vibrazione del suo animo d'artista — scese senza sforzo lungo la pendenza della duna numero 7, attraversò il sentiero polveroso, risalì la duna numero 9, superò la siepe di ligustro e giunse intatto fino a me.

Baciccia non aveva dubbi circa i motivi della mia presenza e riuscì a convincere anche Eleuteria. Le parlò, e gradualmente il viso di lei si rasserenò. L'autore del biglietto non era uno sgherro al soldo della famiglia Parodi venuto a insidiare il loro amore, ma solo un vecchio amico del suo innamorato, in vacanza anche lui all'Honoloulou Beach.

Scrissero insieme la risposta (cosa aspetti? vieni a trovarci!) e me la rimandarono per il custode. Non mi indirizzarono un gesto e un richiamo per invitarmi a raggiungerli: mi resi conto che, mentre il soggiorno del bungalow era per me in piena vista, il mio box e io stesso ritto sulla soglia, ombreggiati dalla chioma del pino e protetti dal baluardo di ligustro, eravamo invisibili per gli occupanti del numero 7.

Questo potrebbe essere il nodo principale del racconto. L'osservatore invisibile. Non basta, allora, Sindibad che viva l'avventura e Sheherazade che la racconti: ci vuole — a metà strada — Harun al-Rashid che scivoli tra i personaggi per osservarli nascosto dal suo travestimento, offrendo loro una attenzione, che, per essere utile, ha bisogno di essere totale e totalmente non ricambiata. Mi sembra orribile. Se volessi decidere di mettermi a scrivere sul serio, dovrei accettare di essere Sheherazade e Harun al-Rashid: rimarrebbe poco tempo, credo, per essere Sindibad.

È questo che è atroce. È vero che al mio narratore piace, in un certo senso; ma naturalmente questo dipende dal fatto che la sua condizione di invisibilità è transitoria, legata alla passione amorosa dei due protagonisti, che hanno occhi solo l'uno per l'altra. Si deve presumere che, di solito, la sua vita sia circondata da un cerchio — un po' chiuso, un po' stretto ma affettuosissimo — di sguardi attenti. La mamma, il papà, gli amici — a cose normali anche Baciccia stesso, in prima fila — le ragazze del gruppo... Non ci preoccupiamo per lui. Può stare qualche giorno in posizione eccentrica, all'ombra, prima di riprendere a navigare per la sua grande avventura.

Quello che è atroce è la sensazione di essere sempre fuori scena, per tutta la vita. È questa la paura che si placa in me stando con Marco? Quello che gli chiedo è solo la sicurezza che per me è finito il pericolo di vivere da spettatrice? Ma perché, allora, assieme al sentimento di avere verso di lui un debito incolmabile, c'è in me anche un perpetuo stato di allarme, come se in fondo al cuore non fosse affatto sconfitta la paura che gli occhi amorosamente fissi su di me si stanchino, spostino altrove il loro sguardo, ripiombandomi per sempre nell'orribile buio, come il narratore sotto la chioma del suo pino?

Fu proprio la mia posizione, simile a quella di uno spettatore immerso nel buio di una platea — unita all'incredibile gittata dell'espressività di Eleuteria — a consentirmi di seguire fino nei minimi particolari tutte le fasi della vicenda che si svolse da quel momento in poi a Honoloulou Beach.

La sua durata fu di tre giorni, che io trascorsi, quasi per intero, assieme agli innamorati; in forma visibile — nel loro bungalow, alla spiaggia, al piccolo ristorante sulla via di Patrasso — o invisibile, nascosto dalle fronde del mio pino, io vicinissimo a loro, legato a loro dalla mia attenzione e dall'autorevolezza espressiva di Eleuteria; loro a trenta metri di distanza da me, ignari della mia presenza.

Mi raccontarono del loro incontro, a Montréal, degli strabilianti gesti romantici compiuti da Baciccia nel corso del corteggiamento, incluso il grande fascio di gigli bianchi che aveva mandato ogni sera nel camerino di Eleuteria: gli stessi fiori, le campane nuziali, che mia moglie ha messo oggi nel vaso cinese sul pianoforte.

In tre giorni appresi da loro molte cose che mi dissero, e molte altre ancora senza che sapessero di avermele dette. Cose nuove per me che mi trovavo ad assistere allo svolgersi di una grande passione tra esseri umani anziché tra i personaggi sempre un po' inattendibili del cinema o della letteratura. Era come uno sfolgorante spettacolo pirotecnico, ma io sapevo che c'era un punto duro, stridente su cui la girandola si inceppava a ogni giro. In sostanza: chi dei due doveva, per amore, rinunziare alla propria vita? Da una parte c'era la forza irresistibile della vocazione, dall'altra il desiderio di un'esistenza ordinata: l'industria paterna, la casa, i figli. Le nozze di Clotilde, che si avvicinavano sempre più, erano diventate la chiave di volta dell'intera faccenda: se Baciccia avesse rinunciato ad andare sarebbero state la Grecia e il teatro a vincere; se lui avesse convinto Eleuteria a seguirlo, la vittoria sarebbe andata a Genova e alla Parodi Legnami.

La sera del secondo giorno mi accorsi che, pur rimanendo invariati il fuoco della passione e il dramma del contrasto, il tono stava cambiando. C'era aria di lite, così io me la squagliai nel mio box lasciando che se la vedessero tra di loro.

Non mi ero sbagliato: tutta la notte ci fu baraonda. Baciccia sempre più cupo e legnoso, ripeteva all'infinito, con voce appena più alta del solito, la stessa frase «ti chiedo solo di venire con me a conoscere la mia famiglia. Cosa può mai venirne di male?».

Eleuteria si dibatteva come un grande uccello nero che vuol sfuggire a una gabbia. Gridava, piangeva; quasi volava, nel soggiorno del bungalow, facendo ondeggiare drammaticamente le pieghe del suo caftano, riempiendo tutto il palcoscenico, strappandomi quasi l'applauso.

A un certo punto andai a dormire, e il mattino dopo trovai la scena come l'avevo lasciata, solo che Baciccia sembrava molto più stanco. Eleuteria, ancora in piena forma, continuava a lanciare fiamme dagli occhi, a strapparsi i capelli, a piangere.

Fu l'ultima sua battuta — un urlo da belva ferita — a mettere in fuga Baciccia.

«Mai! Mai, vuoi capirlo? Entrare in chiesa col tailleur di shantung e il cappello... sarebbe come firmare un patto, e io rispetto i patti! Vorrebbe dire arrendermi, rimanere per sempre a Genova rinunciando a recitare... Vorrebbe dire diventare un'altra persona!» Si fermò al centro della stanza bruciando il mio povero amico con uno sguardo che immaginai simile a quello che Medea rivolge a Giasone nella scena madre della tragedia. La sua voce si abbassò per un attimo in un "pianissimo" freddo, ben teso: appena un sussurro, ma perfettamente intelligibile da ogni ordine di posti. «E tu smetteresti di amarmi, il giorno che io non fossi più io, ne sono sicura...» Alzò le braccia così che le maniche del caftano ricaddero formando una grande croce nera; poi concluse la battuta con un grido lancinante «e allora non avrei né te né il teatro!».

Forse Baciccia fu offeso dal sospetto, o spaventato dalla potenza di quelle corde vocali; oppure l'immersione in un clima drammatico era durata più di quanto la sua natura compassata fosse capace di sopportare; fatto sta che radunò le sue cose e se ne andò. Quando fu sulla soglia rimase un attimo fermo a guardare la sua bellissima amante greca che sembrava ardere come una torcia nel mezzo del soggiorno. Poi mosse appena le mani in un impercettibile gesto sconsolato. «Addio» mormorò.

Gettò la valigia nella sua macchina e partì verso nord. Calcolai che avrebbe fatto in tempo a prendere, ad Atene, l'aereo delle quattro per Milano, e che la sera sarebbe stato in seno alla sua famiglia. In un certo senso la mia missione poteva dirsi compiuta. Potevo partire, ma la mia indole parsimoniosa mi indusse a rimanere, dal momento che la baracca era pagata fino alla fine della settimana. Fu così che potei assistere all'evento cruciale di tutta la storia.

Eleuteria rovesciò dietro a Baciccia un torrente di parole greche, spaccò qualche piatto poi uscì come una furia, prese la mia auto e sparì in una nuvola di polvere nella direzione opposta a quella che aveva preso Baciccia.

Tornò dopo un paio d'ore con grandi sacchi di provviste, che lasciò cadere qua e là nel soggiorno; in-

64

ghiottì un paio di pillole, si tolse il caftano e scomparve in camera da letto, dove rimase fino all'imbrunire. Dormì, credo, tutto il giorno. Io rimasi sulla spiaggia fino alle due del pomeriggio poi tornai nel mio box e caddi in una specie di torpore.

Fui svegliato dal rombo di una motocicletta alle sette di sera; detti un'occhiata tra le fronde del mio pino e potei vedere Eleuteria che, lanciando alte grida di esultanza, abbracciava un giovanotto bruno e riccioluto con una chitarra a bandoliera. Entrarono insieme nel bungalow e iniziarono a bere, mangiare, fumare, cantare, abbracciarsi, piangere, ridere a piena gola, ma soprattutto parlare — una grandinata di sillabe ininterrotta. Ora arrivava fino a me tutto lo spettacolo, non solo la metà interpretata da Eleuteria; potevo seguire — anche se non conoscevo la lingua — il racconto che lei faceva del suo grande amore, il problema drammatico della scelta, le nozze di Clotilde, la crisi. E le parole di conforto del collega — perché non avevo dubbi che anche lui fosse un attore — le trovate comiche per distrarla, tutto il repertorio degli stati d'animo e dei sentimenti — da una parte e dall'altra — amore, odio, amicizia, allegria, disperazione, furore.

Il soggiorno del bungalow era diventato come un bazar: pieno di bottiglie, bicchieri sporchi, frutta, cetrioli, pistacchi, cartocci vuoti, indumenti colorati sparsi dappertutto. Capii che Eleuteria, fino a quel giorno, aveva frenato il suo temperamento anarchico e impulsivo per adattarsi alla natura rassettata e geometrica di Baciccia; vedendola ora, in una cornice più ap4ropriata a lei, una reminiscenza liceale palpitò nella mia memoria ricordandomi che Eleuteria significa Libertà.

Sospendo, perché i cani hanno sentito arrivare l'auto di Marco. Prendo in braccio Eloisa e scendo nell'ingresso; mi fermo in attesa davanti allo specchio: siamo una bellissima bambina e una mamma carina. Eloisa assomiglia a Marco. Io assomiglio a Eloisa.

Tutte le sere mi fermo davanti allo specchio, e mentre sento la giardinetta che abborda l'ultima curva, osservo con attenzione ansiosa la mia immagine, domandandomi se quei tre quarti di donna che vedo riflessi abbiano titoli sufficienti a meritare l'amore di Marco. È un gesto non certo meccanico, ma abituale, che si è ripetuto ogni sera da quando viviamo insieme senza mai aver dato luogo ad alcunché di singolare. Ma si sa, gli specchi sono bizzarri produttori di magie, e prima o poi qualcosa doveva accadere.

Il fenomeno che si è verificato è simile all'incantesimo di una fiaba: qualcosa è accaduto al tempo che è scappato via all'improvviso come aria da un palloncino bucato. Tutte le cose, gli animali, le persone sono rotolate a capofitto lungo gli anni a una velocità incredibile: la sola Bella Addormentata, in questa novella, è il mio racconto, congelato al punto in cui ho smesso di scrivere. Forse le due cose sono collegate: la corsa del tempo si è inceppata in un angolino del mio universo, e per contraccolpo ha subìto una pazzesca accelerazione per tutto il resto del suo arco.

Insomma: i cani sono sempre disposti a ventaglio di fronte alla porta in attesa del padrone, solo che non sono più gli stessi, tranne il cucciolo che ora è un vecchio cane autorevole e canuto. Il rumore dell'auto che si avvicina è ancora quello di una giardinetta, ma si tratta di un'altra giardinetta, la quarta o la quinta della dinastia. Al piano di sopra, quella che è sempre stata chiamata la stanza di Nicola, ora lo è veramente; ci sono davvero le cose di Nicola — i suoi libri, i suoi dischi, i suoi vestiti, i suoi disegni — anche se in questo momento non c'è lui, che sta facendo il servizio militare a L'Aquila.

L'immagine di Eloisa appare ancora assieme alla mia nello specchio, ma ora lei è più alta di me, quasi una donna, e sta ritta al mio fianco.

Siamo una bella ragazza con una mamma molto giovane. Eloisa assomiglia a Marco; io assomiglio a Eloisa.

I principi fondamentali di ogni umana razionalità li ho appresi alle scuole medie e non li ho mai dimenticati, ma fino a oggi non mi è venuto in mente di applicare la proprietà transitiva al mio caso concreto. Solo ora lo faccio, ed è a questo punto esatto che la falla si chiude e il tempo riprende a scorrere normalmente.

Poiché non c'è niente da fare; assomiglio a Marco. Ho la stessa faccia, lo stesso modo di tenere le spalle, gli stessi jeans, lo stesso maglione, gli stessi pensieri. Il processo di omologazione si è spinto talmente avanti che non ricordo più come ero, prima. Conosco la storia, le leggende familiari che mi riguardano. So le due celebri prime parole della piccola Mitzi Garrone a otto mesi: «Da Sola». C'era qualche tata addetta a darmi la pappa, credo, e un buon numero di testimoni per registrare e trasmettere ai posteri quello che rimase sempre, nell'interpretazione della famiglia, il marchio di una natura presuntuosa e ribelle, tutto sommato abbastanza antipatica. Il cucchiaio avanza; la bambina lo strappa brutalmente dalla mano abile e affettuosa e proclama: «Da Sola».

Conosco anche altre storie esemplari che mi riguardano, e tutte portano alla stessa interpretazione del personaggio: eppure, quel significato, così chiaro e univoco, è oggi come un vestito dove non c'è dentro nessuno, certo non io.

Supponiamo — Dio non voglia — che Marco se ne andasse: io cosa ridiventerei? Me lo riuscirei a ricordare cosa sono io, a parte la moglie di Marco, la mamma della figlia di Marco, la padrona di casa della casa di Marco, la compagna della vita di Marco, l'interprete simultanea del pensiero di Marco, il navigatore cartografo del pilota Marco?

Faccio delle piccole cose "da sola", ogni tanto — dipingo i gruccioni, per esempio, o invento da sola quei teoremi che mi sono sempre stati dati belli e fatti, come quelli con cui si determina il numero fisso dei poligoni regolari. Ma mentre sono intenta a queste occupazioni, che non sono legate a nessun obbligo e che dovrebbero quindi essere un piacere, non provo affatto piacere, ma un sentimento inafferrabile e contraddittorio, che comprende anche un penoso senso di colpa nei confronti di Marco. Ed è giusto, del resto, e ancora non basta, dal momento che lui così miracolosamente mi ama; solo che piano piano non mi ricordo più, giorno per giorno mi dissolvo, perdo la memoria di me stessa... Eleuteria ha ritrovato il suo nome in poche ore: quanto ci vorrebbe, a me, per ritrovare il mio?

Passo la notte irrigidita in un'insonnia attonita; la mattina dopo è una giornata bellissima. La nostra casetta intonacata di rosa è una meraviglia. Il bosco ci circonda e ci protegge da tutto quello che c'è di brutto, di meschino. Tanti anni fa Carlo ha sposato una donna intelligente che lo ha convinto a lasciarmi Nicola. Cosa posso desiderare di più? I bulbi sono in fiore; tra pochi giorni la Lilli avrà i cuccioli. Amo il mio paradiso con tutto il cuore.

Ora che il tempo ha ripreso il suo passo normale anche la storia d'amore tra il commerciante di legname e l'attrice tragica può uscire dal suo letargo.

Ma prima c'è un'altra cosa che devo fare: una cosa così impellente che senza quasi accorgermene, senza aver neppure pensato con chiarezza "devo farla", ecco che l'ho già fatta. Mi ci sono voluti anni per ritrovare Teodora Garrone, che debuttò tanto tempo fa nella vita con una battuta non prevista dal copione: una battuta empia, dagli effetti disastrosi. Dopo che ho ritrovato quella bambina, raccontarla è stato un volo. Centosettanta pagine scritte, corrette, riscritte.

E pubblicate. Ora non si può più tornare indietro: ora esiste un libro, edito da un normale editore, in vendita presso i normali librai, firmato da Teodora Francia. Da me.

E anche il racconto. In pratica è finito, si tratta solo di chiuderlo. E dopo? E dopo niente, naturalmente. Ho fatto tante cose che non hanno condotto a niente, questa sarà una delle tante. O si vive o si scrive, dicono. È proprio vero? E ho vissuto, ringraziando il cielo. Al mattino arriva Eloisa in camera nostra, tutta arruffata; Marco spinge verso di me il carrello che ho preparato la sera prima e tutti e tre facciamo colazione a letto. Poi loro due si vestono, andando e venendo, incrociandosi nella mia stanza, parlando tra di loro e con me. Io li ascolto e li guardo, di regola senza dovermi alzare.

Alle otto e mezza se ne vanno insieme — fino a ieri, mi

sembra — lei solo fino all'asilo, a poche centinaia di metri da casa; oggi, improvvisamente, fino in città, al liceo. Io li accompagno alla porta e rimango con i cani, mentre Eloisa si sporge dal finestrino — ieri, oggi e sempre, perché è affettuosa ed espansiva — per salutarmi con la mano, ogni mattina come se si preparasse a un distacco lunghissimo. Tutto continua a svolgersi alla stessa maniera, salvo che a un certo punto di questo volo del tempo durato quindici anni, entra in scena anche Nicola e la felicità è completa.

È vivere, no?

Ed è proprio necessario che questo mi trasformi in una milanese impanata su entrambi i lati dei pensieri, gesti, fattezze di Marco? Non si potrebbe tentare di vivere e scrivere?

La giardinetta ha percorso i pochi metri di viale e ora è uscita dal cancello. I cani, che l'hanno seguita fino ai confini della proprietà, tornano su alla spicciolata.

Ora ho tutto il tempo che voglio per scrivere. Ora posso risvegliare la mia Bella Addormentata: e c'è un solo possibile finale per la storia d'amore di Eleuteria Papastratos e Baciccia Parodi.

Poi non so.

L'amichevole consolazione finì come finiscono quasi sempre queste terapie: via via che il sole tramontava e sorgeva la luna, Eleuteria e l'attore ricciuto cominciarono ad abbracciarsi sempre più affettuosamente, fino a che decisero di andarlo a fare con maggiore comodità nella camera da letto.

La scena, con la lampada ad acetilene accesa, rimase vuota per qualche ora, mentre io mi preparavo un catino di spaghetti e mangiavo tristemente. A mezzanotte, quando stavo per andare a dormire, udii un'auto che parcheggiava presso la baracca del custode; e chi ne uscì se non Baciccia con un colossale fascio di gigli bianchi tra le braccia.

Non scorse la moto del suo rivale, nascosta dietro l'angolo del bungalow. Entrò nel soggiorno, vide lo straordinario disordine, la lampada accesa e si fermò un attimo, smarrito. Posò i fiori sul tavolo. Fece qualche passo in qua e in là, raddrizzando macchinalmente un paio di oggetti rovesciati. Poi prese il lume e, tenendolo alto davanti a sé, aprì la porta della camera. Eleuteria e l'attore dovevano dormire sodo, poiché non dettero segno di vita nei lunghi istanti in cui Baciccia rimase impietrito a guardarli, prima di fare dietro front, posare il lume, raccogliere il mazzo di fiori e andarsene.

Udii la sua auto che si allontanava in direzione di Patrasso.

Fu quel rumore, immagino, a ridestare l'amico di Eleuteria: dopo pochi minuti il bungalow n. 7 si rianimò. Il giovane ricciuto apparve, nudo e scarruffato. Si stirò, sbadigliò, preparò due caffè turchi, tornò in camera da letto. Udii i saluti che venivano scambiati e, pochi minuti dopo, mentre lavavo i piatti della mia solitaria cena notturna, il rombo della moto che partiva.

Mi riaffacciai tra le fronde del pino proprio mentre Eleuteria si alzava dal letto e si apprestava a recitare la brevissima scena madre del dramma.

Apparve sulla soglia tra la camera e il soggiorno avvolta in un caftano color porpora. Rimase ferma un attimo. Fece un passo avanti. Alzò la testa.

E a questo punto, signori, le narici della grande Eleuteria Papastratos vibrarono. Vibrarono, lo dico con un certo orgoglio, per me, per il suo unico spettatore, non pagante per giunta. Per una magica inconsapevole intuizione il naso più sensibile del mondo, un naso greco, calibrò magistralmente un fremito percepibile a trenta metri, quanti lo separavano da un pubblico incredibilmente esiguo; un pubblico, soprattutto, di cui la Divina ignorava la presenza.

E il fremito diceva che... sì, c'era un profumo, mescolato all'odore di cicche e di ouzo. Profumo...possibile? Profumo di gigli bianchi. PROFUMO DI GIGLI BIANCHI!

Leggevo tutto sui celebri lineamenti, negli occhi

più profondi e più espressivi del mondo. Era la musa stessa del teatro che esprimeva il graduale passaggio dalla vaga sensazione alla certezza, fino al terrore sacro, al panico ancestrale di chi ha ricevuto un segno dagli Dei. In quella stanza, diceva la maschera tragica più famosa del mondo, aleggiava prodigiosamente — contrastando e vincendo il tanfo della colpa — il profumo di quei fiori che, riportando in vita i magici giorni del primo incontro in Canada, assumeva valore di simbolo dell'amore e indicava imperiosamente la via da seguire.

Dopo l'agnizione venne la catarsi, immediata e irrevocabile. Piangendo e ridendo Eleuteria cominciò a volteggiare nel bungalow per raccogliere le sue cose; poi venne da me, senza curarsi che fossero le due del mattino e disse: «Portami a Genova, subito. Ha vinto lui: pianto tutto e lo sposo».

Sono passati venticinque anni. La brevissima apparizione in scena di Baciccia con il mazzo di gigli bianchi è stata cancellata dal testo del dramma, perché nessuno ne ha mai parlato: né io a lui né lui a sua moglie. Chi ha visto non lo ha detto e chi è stato visto non lo sa.

Il mio amico, ora presidente del Rotary, membro di varie commissioni e candidato alle prossime amministrative, ha una relazione — molto discreta — con una signora della buona società, campionessa di bridge: una biondina magra con l'erre moscia. Lui ed Eleuteria hanno quattro figli, due maschi e due femmine. I più grandi sono ormai autonomi, la prima è sposata e aspetta un bambino; solo Marina deve essere ancora accompagnata dalla madre — a scuola, al tennis, alle lezioni di chitarra, di judo. Eleuteria e mia moglie vanno spesso insieme a scortare le loro bambine; e stranamente hanno cominciato ad assomigliarsi. I loro corpi, un tempo così diversi, sembrano premere verso terra con l'identica stanca pesantezza; le loro facce, sempre meno differenziate nei lineamenti, sanno esprimere un solo sentimento senza nome, intermedio, neutro, opaco, vagamente bovino. E anche quello, entrambe, lo comunicano solo fino a un metro di distanza, massimo due. A vederle nessuno penserebbe che una di loro si chiama Libertà.

Pieve San Martino, inverno 1977

Il quarto racconto

È giovedì 19 marzo, San Giuseppe. Mi trovo a Milano. La città è deserta.

Anche la mia casa è deserta. Marco mi ha lasciata e io sono venuta a vivere a Milano non appena è uscito il mio primo libro. Nel frattempo ne ho scritti altri sei, che sono stati pubblicati, venduti in molte migliaia di copie, premiati, tradotti. Nicola fa l'ingegnere minerario in Rhodesia, Eloisa vive con un suo fidanzato, il terzo della serie. Il più simpatico, mi sembra, ma non dico niente, per scaramanzia.

Non posso criticare Eloisa per la sua smania di accasarsi a ripetizione: anche la metà sinistra del lettone matrimoniale, trasportato qui da Pieve San Martino assieme alle altre mie cose, è rimasta priva di un titolare solo per brevissimi interregni, durante i primi anni dopo che Marco se ne è andato.

Ho scoperto le gioie della solitudine solo di recente. All'inizio mi costava una fatica inumana presentarmi tra la gente da sparigliata. Allora decidevo di starmene chiusa in casa, ma la casa vuota mi faceva paura. La presenza dei ragazzi non migliorava le cose, al contrario: erano la prova che io avrei dovuto avere un marito, e perciò un inasprimento del dolore di non averlo.

Quindi scappavo fuori, poi da fuori di nuovo scappavo a casa, riuscendo a stare comunque malissimo.

Era una scelta impossibile tra due alternative inaccettabili, così non mi rimaneva che avere sempre un compagno stabile, un simulacro di marito, per male assortito che fosse.

Ora, il silenzio della mia casa è un suono dolcissimo. Ho venduto il lettone e l'ho sostituito con uno più piccolo, una piazza e mezza scarsa, dove si può stare per qualche tempo anche in due ma non certo dormire, in due. Non voglio rischiare che qualcuno torni a istallarsi qui, che questa diventi di nuovo casa "nostra", chiunque sia l'altra metà di "noi".

Spalanco le finestre del soggiorno, che è chiaro, equilibrato nelle misure e nei colori, bene armonizzato con me, con le mie abitudini. La luce che entra è dorata, come se fuori dal terrazzo ci fosse Roma, anziché Milano; col vantaggio che invece è proprio Milano, una città che si adatta alla perfezione a me — a me oggi, alla mia nuova vita.

Il mio studio — pochi metri quadrati con la finestra a sudest, verso i tetti e le ringhiere di corso di Porta Ticinese, è ordinatissimo, caldo e accogliente. Attacco il computer, che ronza qualche secondo con dolcezza, come se mi salutasse facendo le fusa. Dentro il disco programma, fuori il disco programma, dentro il disco di lavoro. Digito f1 per avvertire la macchina del cambio ed edito documento esistente.

La macchina sorride, sbatte le ciglia e si illumina sciorinando:

L'episodio del Berretto Sportivo

L'assurdo dell'assurdo è che salta fuori all'improvviso e costringe le cose più consuete a guardarti con una faccia che non riesci a riconoscere. Parlo delle cose più banali. Le cose più stupidamente consuete. Più comunemente consuete. Roba alla quale non fai neppure caso, tanto sei abituato a viverci in mezzo. La ringhiera delle scale. Il portapenne sullo scrittoio. Il tuo stesso nome.

Mi succede questo: saluto il portiere e cammino spedito verso la porta a vetri chiusa, spavaldo, senza mostrare ombra di esitazione, certo che la cellula fotoelettrica metterà in moto il meccanismo di apertura al momento buono. E infatti.

Esco nell'aria tiepida del tramonto e vado a prendere la Lancia Thema, parcheggiata sotto la tettoia riservata alle auto dei dirigenti, che è per l'appunto, da ormai quattro anni, il suo giusto posto. I rondoni, sopra alla mia testa, si incrociano nel cielo rosato lasciando cadere esemplari spirali di risate gorgoglianti di felicità. Dunque, come vedete, tutto a posto, tutto benissimo.

Le cose che hanno la bontà di circondarmi da tutte le parti — davanti, dietro, destra, sinistra, sopra, sotto — sono perfettamente a posto. E queste cose non sono solo cose comunemente consuete, sono eventi quotidiani favorevolmente consueti, cose banali di segno altamente positivo, se mi concedete un altro avverbio e un altro aggettivo. Poiché, signori, la breve sequenza di eventi riportata,

1) per quattro anni si è riproposta ogni giorno con poche varianti stagionali;

2) ha avuto fino a ieri il potere di inondarmi di beatitudine, farmi sentire sano, forte, in armonia con la natura, dirigente della stazione televisiva, Lancista nonché vincitore nel braccio di ferro psicologico contro il potere intimidatorio della porta chiusa.

E allora? Cosa sta accadendo?

Mi costringo a respirare profondamente, ma quello che la mia cassa toracica esegue, piuttosto che un gagliardo e ottimistico rifornimento di carica energetica, è un vecchio, malinconico sospiro.

Il pensiero non mi conforta affatto, al contrario, ma questa è certamente la verità: non c'è nessun motivo che giustifichi il mio malessere. Ho tutto: quello che mi era sembrato indispensabile a vent'anni e le altre cose che via via, col passare del tempo avevo aggiunto alla mia lista di necessità. La gente mi riconosce per la strada, gli occhi vellutati di Marcella mi guardano con ammirazione sconfinata, ho la certezza che, quando il mio romanzo sarà pronto, non avrò difficoltà per trovare un editore. Faccio un lavoro creativo e non convenzionale ma nello stesso tempo ho uno stipendio sicuro e cospicuo; pur non avendo ancora pubblicato una riga appartengo di diritto al magico mondo delle lettere, sono amico di scrittori e letterati di tutta Italia, senza bisogno di lasciare la mia piccola città, un luogo così pulito, caldo, rassicurante dove vivere e allevare i miei bambini.

Nulla spiega il crollo del mio umore, se non la terribile, quasi insuperabile fatica che improvvisamente mi costa eseguire uno dei compiti — un tempo il più gradevole — relativi al mio mestiere. È diventato negli ultimi mesi uno sforzo sovrumano, qualcosa che rimando, aggiro, qualcosa su cui sono costretto a mentire spudoratamente barcamenandomi come posso per mascherare la mia inadempienza.

Mi riferisco alla necessità di leggere i romanzi dei miei contemporanei. È questo l'impegno che da qualche tempo supera le mie forze. Niente di grave, direte, e soprattutto una debolezza non rara, dal momento che risparmia, nel nostro paese, solo lo 0,0001 della popolazione.

Ma il fatto è che io sono — originariamente per natura e ora anche per contratto — un lettore accanito, onnivoro, instancabile. È per questo che ho proposto a Canale 22 il *Seminario di Lettura Creativa*, la rubrica che conduco da quattro anni con successo insperato.

Il mio indice d'ascolto è il più alto tra quelli dei programmi della nostra emittente: a quanto pare, Essellecì ha fatto venire voglia di leggere a tutti gli abitanti della zona coperta dal nostro segnale.

Purtroppo l'ha fatta passare a me. Deve essere andato in avaria qualche circuito nella mia testa, credo, e ora non posso prendere in mano una novità libraria senza che mi venga la nausea. Riesco a leggere Tolstoj, Dickens, Hofmannstahl, James; e persino Hardy,

Grillparzer, Alfiéri: chiunque, ma solo a patto che sia morto.

D'altra parte, quelli che vengono a Essellecì sono vivi, e anche quando non sono io a presentare l'Autore, come faccio ad andare in onda senza averne letto l'opera, per lo meno l'ultimo libro, quello di cui inevitabilmente si parlerà durante la trasmissione? Sono io che conduco il programma, introduco il Presentatore, presiedo l'incontro e sto lì, in sostanza, pronto a ogni evenienza. E quando l'evenienza consiste in un silenzio totale del pubblico al momento di iniziare il dibattito con l'Autore, devo essere pronto, come il compare di un prestigiatore o la spalla di un comico, a mettere in moto il meccanismo con una domanda appropriata e stimolante.

Credo che il disgusto abbia cominciato a prendermi quando si è fatta strada in me l'ovvia verità che proprio i libri capaci di suscitare un bel dibattito senza il mio intervento erano quelli più ricchi, pieni di temi, di spunti: quelli che avrei letto più volentieri, in breve. E così, quando si discuteva di un bel libro venivo relegato al rango di semplice moderatore, dispensatore di acqua minerale e occasionale tecnico aggiunto ai microfoni elettronici; viceversa, quando su un libro nessuno riusciva a trovare alcun punto di interesse, ecco che la trasmissione era tutta mia, obbligato com'ero a fare i salti mortali per cavare qualche goccia di succo vitale dall'opera di certi autorini tutti "écriture", macilente rape letterarie senza sangue che periodicamente funestavano il *Seminario di Lettura Creativa* su invito della direttrice di rete, signora Merello Ponis.

Mi domando se — già che ci sono — potrei qui aggiungere qualche riga che identificasse meglio il tipo di romanzeria che massimamente aborrisco. Prima decido di no. Intanto quel protagonista CE N'EST PAS MOI e quindi non c'è motivo di prestargli le mie opinioni. E poi perché, se lo facessi, il racconto assumerebbe quel tono risentito — risentito verso il mondo letterario, verso gli altri scrittori, verso l'industria editoriale — che mi sembra il colmo del cattivo gusto.

Da quando vivo sola sono in pace con la mia casa, col mio lavoro, coi miei figli, coi miei amici, con la letteratura e persino con la politica. Non ho motivo di scrivere un racconto polemico. A ogni buon conto metto un asterisco * per ricordare che forse potrei, all'ultimo momento, inserire una frase o due, di quelle da levare il pelo. Poi torno su col cursore e cancello l'asterisco. La macchina ronfa, dichiarandosi d'accordo con me.

L'esercizio di tanti anni mi aveva portato a un tale punto di sensibilità che mi bastava scorrere alcune pagine dei libri da presentare per sapere se era necessario che lo leggessi fino in fondo oppure no; e la cosa amara era che potevo lasciar perdere solo se l'assaggio era stato soddisfacente, mentre era indispensabile sorbire il calice fino all'ultima riga se il romanzo mi era parso stentato, bellettristico, meschino.

C'è certamente qualcosa, in questo aspirante scrittore condannato da quattro anni a leggere solo libri brutti. Forse anche un significato simbolico, che nella prima stesura non avevo neppure io stessa individuato, e che non mi è del tutto chiaro neppure ora. È inutile insisterci sopra, perché il tema della vicenda non è questo, ma forse potrei ritirarlo fuori in uno dei prossimi racconti. Strappo la foderina di plastica a un nuovo blocco per appunti e scrivo, sulla prima pagina: "Tizio che è costretto ad amare solo quello che odia e a odiare solo quello che ama".

Che fesseria: non è affatto questo che avevo in mente. Del resto non ha importanza, tanto nessuno capisce i simboli che io consapevolmente dissemino nelle mie pagine, e tutti ne trovano altri che non mi sono neppure passati per la testa. E chissà che non sia un bene: l'ultimo surrogato della spontaneità perduta è forse proprio la montagna di equivoci che si accumula tra l'autore e i lettori. Una foresta, piuttosto che una montagna: una foresta dove, ringraziando il cielo ci si può perdere, e dove si può — di conseguenza — avere ogni tanto la sorpresa di ritrovarsi.

Lascio che l'eventuale perla rotoli in qualche angolino dove sarà ritrovata solo quando sarò morta da un pezzo, o dove più probabilmente nessuno la ritroverà mai, e torno al computer.

La mia è una situazione paradossale e molto seccante; e tuttavia l'ho affrontata per i quattro anni durante i quali ho coordinato i nostri incontri con l'Autore senza che il mio equilibrio fosse in apparenza alterato; solo al trentanovesimo incontro c'è stato il crollo.

Oggi ho toccato il fondo: il *Diavolo Custode* si è trascinato per un mese dal mio comodino all'ufficio, mi ha seguito per tre fine settimana nella nostra casetta al mare e non sono riuscito a impormi di aprirlo neppure una volta per gettare tra le sue pagine il più fugace degli sguardi.

Ormai è troppo tardi perché io possa farmi una sia pur vaga idea del romanzo nel suo insieme: sono le diciannove, e alle venti e venticinque andiamo in onda. Ho solo tempo di andare a casa per farmi una doccia, poi aprire il libro a caso sperando che un fantastico colpo di fortuna mi faccia incappare in un episodio di senso compiuto sul quale tenermi pronto a fare qualche domanda. A quel punto, poiché sarà la nostra efficiente signorina Mazzei ad andare a prendere l'Autore e il Presentatore in albergo per portarli al trucco, dovrò pregare che il traffico non mi blocchi, permettendomi di arrivare un minuto prima della sigla.

Lascio due righe bianche per segnalare il cambio di scena e attacco direttamente con il protagonista che è già rientrato in casa, ha abbracciato moglie e bambini, ha fatto una doccia, ha mangiato una mozzarella, si è dato un tocco di fondotinta sulle occhiaie e ha letto dieci pagine a caso del Diavolo Custode. *Ha anche ripreso l'auto, ha guidato fino alla stazione televisiva elaborando qualche domanda attinente a quelle dieci pagine, ha parcheggiato nello spazio riservato ai dirigenti, ha salito le scale fino allo studio tre, ha stretto la mano all'Autore e al Presentatore, e insieme a loro si è seduto sulle poltroncine azzurre disposte a semicerchio di fronte al pubblico. Il fonico ha già piazzato i microfoni, il cameraman ha già detto «quando vuoi», il regista ha già fatto cenno dal suo acquario insonorizzato.*

Saluto il pubblico, presento il Presentatore e mi dispongo ad ascoltare in silenzio, rallegrandomi della fortuna che mi ha fatto capitare, aprendo a caso il *Diavolo Custode*, sull'episodio del Berretto Sportivo, abbastanza curioso da fornire esca a un gran numero di domande intelligenti. Mi rallegro talmente che a un certo punto, mentre il Presentatore esprime alcuni concetti incomprensibili sul senso negativo del tempo, sul linguaggio diagonale, sulla simmetria degli spazi interni, sulla letteratura come ipallage totale, mi dico che l'episodio del Berretto Sportivo è perfino troppo ricco, troppo stimolante. In breve, mi convinco che ben presto il Presentatore, individuando il boccone succoso su cui piantare i denti, smetterà di dire scempiaggini e attaccherà il piatto forte. Prima della fine del suo discorso avrà formulato lui le due o tre domande che avevo cominciato a preparare — più altre tre o quattro; e avrà dato tutte le risposte possibili più alcune ulteriori. Mano a mano che va avanti esplorando minuziosamente ammassi di aria fritta, mi convinco che ha deciso di tenersi il Berretto Sportivo per ultimo, come saluto del pirotecnico.

Comincio a sudare freddo. Se il pubblico non aprisse bocca, nel fatale momento in cui dovrebbe iniziare il dibattito, io cosa potrò fare, nel caso che le mie domande siano state consumate dal Presentatore? Dovrò rassegnarmi a chiedere all'Autore quando ha cominciato a scrivere, cosa si prova quando si raggiunge il successo e banalità simili? E poiché nessuno sarà stimolato a intervenire, dovrò andare avanti per un'ora trascinando un dialogo su questa lagna?

Ma, con mia somma meraviglia, il Presentatore non sfiora neppure l'episodio del Berretto Sportivo, e conclude con una tirata sulla forza eversiva del linguaggio interstiziale.

Mentre la giraffa scende sul pubblico mi preparo a rompere l'imbarazzo sparando la prima domanda; ma è una signora in seconda fila che si assume l'incarico di cominciare con una elaborata osservazione sulla società orfana; e, prima ancora che finisca di parlare, uno studente alza la mano per prenotare un'altra domanda.

Finalmente posso rilassarmi. Il più è fatto, conosco i miei polli. Ora tutti parleranno a gara fino alla fine della trasmissione, e non avrà più importanza se bruceranno i temi che avevo riservato per me.

Fin qui non c'è male, ma il bello viene adesso. Qui è il punto in cui il lettore deve essere avvertito che è il momento di drizzare le orecchie perché sta succedendo qualcosa di strano.

Quello che conta è dare la giusta temperatura all'avvertimento. Esclusa la breve frase falsamente sommessa ma in realtà enfatica, tipo:... non avrà più importanza se bruceranno i temi che avevo riservato per me...

Poi a capo
SOLO CHE NESSUNO LO FA.
E di nuovo punto e a capo.
Questo no senz'altro. Meglio rischiare che il novanta per cento dei lettori manchino, come al solito, all'appuntamento.

L'altro sistema è quello di FINGERE di non stupirsi, razionalizzando la cosa e buttandola lì con noncuranza. Per esempio:
... ma naturalmente, dopo un'ora di chiacchiere che ronzano in falsetto attorno a un cumulo di nulla, il pubblico è annebbiato e non si ricorda che ci sarebbe stato qualcosa di solido su cui dibattere. Così la serata si chiude senza che nessuno abbia fatto il minimo accenno all'episodio del Berretto Sportivo.

C'è sufficiente profezia? Perché è la profezia, nel suo dosaggio esatto, né troppo né poco, il segreto del narrare. Accendere un segnale piccolissimo, ma tale che possa essere percepito, magari subliminalmente, da ogni lettore, o almeno dai più sensibili. Occhio, amico mio. Qui la cosa comincia a farsi curiosa.

Lascio un asterisco * , per ricordarmi, in una successiva rilettura, che a questo punto potrebbe esserci una vite da stringere e vado avanti.

Come è consuetudine porto al ristorante, a spese dell'emittente, l'Autore (e sua moglie) con il Presentatore (e sua moglie). Il solito tavolo è apparecchiato, Marcella è già lì che ci aspetta con gli aperitivi e le tartine al pâté. È lei che assegna i posti e avvia la conversazione; ha seguito il programma da casa, durante la cena dei bambini, e anche se non ha letto il libro, può efficacemente fare da spalla all'Autore mentre questo dichiara a parole, esprime con i gesti, emana da ogni poro, l'incondizionata ammirazione che nutre per se stesso.

Questa Marcella è un tesoro, e io sono castamente e nel contempo follemente innamorata di lei. La immagino bruna, sottile, scattante. Le circostanze della vita, inutile specificare quali, l'hanno portata a non svolgere alcun lavoro fuori di casa, ma non trascorre mai una giornata d'ozio, perché la sua intelligenza versatile e il suo senso morale la rendono incapace di condurre un'esistenza parassitaria.

Mi domando se non sia il caso di sottolineare un pochino questa figura che assomiglia a dire il vero a numerosissime mogli e a pochissimi mariti reali; ma so già la risposta: nell'economia del racconto troppe chiacchiere su Marcella, un personaggio che non ha parte di rilievo nello svolgimento della vicenda, sono pura zavorra. La lascio, non senza rimpianto, tra le ombre dello sfondo, e torno al computer.

Per un po' ingoio tartine in silenzio, aspettando il mio momento; in una pausa della conversazione, dovuta all'arrivo delle crêpes ai funghi, sono quasi sul punto di fare un'osservazione a proposito dell'episodio del Berretto Sportivo, ma qualcosa mi costringe a trattenerla in extremis.

"Qualcosa" non va bene. Non è un impulso misterioso, ma una ben precisa, anche se improvvisa, considerazione. Meglio cambiare. Sono quasi sul punto eccetera...

... ma un pensiero mi trattiene: come è possibile che si sia parlato per due ore, e ancora si stia parlando, della abissale scempiaggine che è *Il Diavolo Custode* senza che a nessuno sia venuto in mente di accennare all'unico episodio notevole del libro? E quindi: avrò letto bene? Oppure il brano, incastrato tra le pagine che lo precedono e quelle che lo seguono, e che io non ho letto, è tutt'altra cosa, rispetto all'impressione riportata da me?

Taccio per tutta la serata, bevendo come una spugna e ricostruendo mentalmente la storia che io ho letto oggi stesso, tra le diciannove e le venti, e che nessun altro sembra aver letto: dalla prima apparizione del Berretto Sportivo in un luogo dove non avrebbe dovuto trovarsi (dentro uno schedario alla lettera M) fino all'orribile e grottesca morte del protagonista, Romualdo, schiacciato come una cimice sotto lo scaffale della Narrativa Contemporanea.

Mentre il mio pensiero gira in tondo, il monumento che l'Autore sta erigendo a se stesso, con l'aiuto di sua moglie e della mia, è arrivato al soffitto. Vorrei dire che è penoso, lo spettacolo di questo grasso imbecille rapito in un'estasi di autocompiacimento, ma non è vero. Non mi fa pena, anzi, darei un braccio per trovarmi al suo posto, e tuttavia mi riprometto che non sarò mai così, neppure DOPO. Dopo che avrò scritto il mio libro e lo avrò pubblicato, dopo che avrò avuto il riconoscimento che merito. Mi piacerà suscitare ammirazione, magari invidia, ma non il fastidio che leggo sul volto del Presentatore e signora. All'inizio hanno contribuito anche loro all'apoteosi del Maestro, ma ora sono palesemente seccati e si domandano se il nostro gettone di presenza valeva il supplizio di sorbirsi quel trombone per una serata intera. Sono loro a dare il via agli addii, subito dopo l'amaro, e io posso portare a casa la mia povera, esausta Marcella.

Vorrei seguirla subito a letto, prenderla tra le braccia, coccolarla e chiederle di consolarmi, ma prima devo dare un'occhiata al *Diavolo Custode* e ritrovare quel maledetto episodio.

Dovrebbe davvero prenderla tra le braccia, perché Marcella è bella e buona, sorride facilmente, i suoi occhi brillano di attenzione, e i suoi capelli, il suo corpo... Oh Marcella, Marcella! Oh immeritate mogli di tanti zoticoni!

La zona biblioteca è separata dal salotto da una parete attrezzata, firmata da un grande architetto svedese. L'arredamento, che ho curato io stesso, comprende, oltre alla scrivania, anche una vecchia poltrona con un panchetto della giusta misura per appoggiare i piedi. Prendo il *Diavolo Custode*, trovo una posizione comoda e comincio a leggere saltabeccando un po' qua e un po' là, ma non ho fortuna. Mi rendo conto che ci vuole maggior rigore. Vado in cucina a farmi una moca da sei, la travaso in un thermos, me la porto vicino alla poltrona e riattacco dalla prima pagina.

Non scorro: leggo. Alle tre del mattino sono arrivato a tre quarti del libro (e del thermos), ma il Berretto Sportivo non è saltato fuori. È assurdo. Ricordo benissimo — mi sembra di ricordare — che ieri sera, quando sono andato a cercare a caso un episodio del romanzo, avevo aperto il libro a metà, come del resto è logico. Ed è appunto verso il centro che ora ho spulciato con maggiore attenzione; e allora: dove sono andate a finire quelle pagine? Mi alzo per sgranchirmi le gambe, mentre altri dettagli dell'episodio mi tornano alla mente: ricordo che la sorprendente apparizione del copricapo nel comparto M dello schedario è introdotta da un tema musicale — un pezzo di Satie — che Romualdo stenta, dapprincipio a riconoscere. Ho tutto in testa, con una chiarezza estrema; ma dove è andato a finire il maledetto episodio?

Mi rifiuto di perdere la calma. Ci vuole metodo. Calcolo che tutta la faccenda non dovesse protrarsi per più di dieci pagine; se è così — leggendo attentamente, parola per parola, una pagina su dieci, o per maggior scrupolo una su cinque — avrei la certezza matematica di ritrovare quello che cerco.

Mi rimetto al lavoro seguendo questo criterio; in breve tempo arrivo in fondo al libro, e l'episodio non c'è. È incredibile. Me lo ricordo benissimo, sempre meglio dopo ogni inutile passaggio attraverso le duecentosei noiosissime pagine del *Diavolo Custode*: la descrizione di Romualdo, la musica di Satie, il berretto nello schedario, lo scaffale che crolla, l'uomo spiaccicato sul pavimento, la sua posizione grottesca, il silenzio che subito si ripristina, e nel silenzio, la musica di Satie che riguadagna il centro della scena priva di vita. Evidentemente mi sono appisolato e ho inavvertitamente saltato qualche pagina; decido di uscire a fare due passi per rinfrescarmi la mente.

Albeggia. Il silenzio è completo in tutte le direzioni. I tacchi delle mie scarpe suscitano echi eccessivi, che mi imbarazzano. Non mi piace essere l'unico che produce suono in tutta la città. In punta di piedi faccio il giro dell'isolato e rientro, ripromettendomi di uscire ancora tra un'oretta, quando i miei passi si confonderanno tra i primi rumori del mattino.

Bevo l'ultimo caffè che ho nel thermos e ricomincio da capo il *Diavolo Custode*. Sono stanchissimo, ma sento che è questione di vita o di morte uscire da questa ossessione. Perché, poi? Non so perché.

Perché, davvero? Perché diavolo mi è venuto in mente questo racconto, che mi ossessiona quanto l'episodio del Berretto Sportivo ossessiona il mio protagonista? Forse perché anch'io ho praticato per anni lo stesso peccato del mio protagonista, che è quello di non sapersi staccare da quello che non si ama? Lui dovrebbe amare Marcella e lasciar perdere i libri. Io ci ho messo anni a capire che dovevo scrivere i libri e starmene per conto mio...

E poi perché ho adottato il puerile camuffamento di scegliere un personaggio MASCHILE con una moglie perfetta, per adombrare il mio assurdo passato pieno di mariti e di compagni imperfetti? Non era meglio creare una conduttrice di programmi culturali sposata a un uomo equivalente a Marcella?

Un tempo mi lasciavo scrivere e non ci pensavo su tanto. Ma più passano gli anni e più vengono per me alla luce gli ingranaggi che muovono la macchina. Escono fuori, come interiora da una bestia sventrata, si srotolano, si accumulano, prendono il sopravvento. Non si può più far vista di ignorarli, una volta che si sono veduti. Non si può fare i finti tonti. L'ingenuità bisogna lasciarla ai tonti veri; però che nostalgia!

Un capitolo, due. Non voglio uscire nello smisurato silenzio della città, ma ho bisogno di camminare, altrimenti mi addormento. Apro una finestra e tendo l'orecchio per individuare i segni del risveglio.

Terzo capitolo, quarto. I passeri ancora tacciono, ma da qualche parte qualcuno ha finalmente acceso una radio. È una musichina piena di atmosfera, curiosa.

Ora che il silenzio è rotto e finalmente potrei uscire, all'improvviso mi ritorna il buon senso e mi dico che l'episodio del Berretto Sportivo può andarsene all'inferno, che non me ne importa niente se sul libro c'è davvero o se me lo sono sognato, che ho un sonno mortale e che nel mio letto mi attende Marcella, tutta calda e dolcissima.

Che assurda nottata. Che fissazione demenziale. Prendo il *Diavolo Custode* e lo rimetto nello scaffale della narrativa contemporanea. Mentre, barcollando dal sonno, lo infilo al suo giusto posto secondo l'ordine alfabetico, riconosco la musica trasmessa dalla radio: è uno dei *Morceaux en forme de poire*, di Satie.

Ho barcollato un po' troppo, compromettendo l'equilibrio della struttura svedese in ferro e mogano a cui mi sono maldestramente appoggiato. Alzo le mani e spingo verso il muro, ma capisco che ho peggiorato la situazione. Questo non è uno di quei mobili alla buona, affettuosi, che scricchiolano e dondolano sempre un pochino, ma insomma, bene o male stanno in piedi comunque. Questo è svedese, e non conosce che la perfezione o il disastro. Mentre cominciano a cadere Albinati, Allamprese e Arpino, mi rendo conto di essere in trappola. Come se un flash me lo illuminasse improvvisamente vedo, in fondo alla stanza, il mio schedario.

E mi domando cosa ci sarà alla lettera M.

Il quinto racconto

Milano, primavera 1988

È una storia che mi è stata raccontata da un compagno di viaggio, molti anni fa. Eravamo in un triste scompartimento ferroviario dell'espresso notturno n. 976, da Livorno a Milano, un treno pessimo, che per le prime tre ore funziona come un locale, fermandosi a ogni passo; e solo verso la fine, si rianima, come un vecchio cavallo che sente l'odore della stalla, e corre verso il traguardo senza più perdere tempo. Avevo pubblicato il mio terzo romanzo ed era il tempo in cui mi stavo trasferendo gradualmente a Milano. Nicola stava facendo il servizio militare a L'Aquila e Eloisa era rimasta a Pieve San Martino con una vecchia tata per terminare il suo anno scolastico; io andavo e venivo. Dal venerdì al lunedì stavo in Toscana e dal lunedì al venerdì ero accampata provvisoriamente da Mina. La notte dormivo sul divano del suo minuscolo soggiorno-tinello con angolo cottura, e il giorno cercavo casa, cercavo lavoro, cercavo nuovi amici, cercavo di ricominciare da capo.

In mezzo a tutto questo, sottraendo il tempo soprattutto ai miei figli, riuscivo a far rientrare anche i miei primi impegni tra il professionale e il mondano: presentazioni, incontri, partecipazione a programmi radio e Tv.

La notte stessa che avevo udito la storia cominciai a scriverla, raggomitolata sul divano di Mina, con il quaderno appoggiato alle ginocchia, ma non andai oltre la prima pagina.

In dieci anni ci sono tornata sopra più volte, ogni volta ricominciando da capo e ogni volta modificando radicalmente il senso

della vicenda. Anche il titolo è cambiato varie volte: La Provinciale, Amore, Espresso 976.
Adesso è

La carezza di Dio

L'uomo vestito di grigio che salì a Pisa doveva aver voglia di fare conversazione, altrimenti, con il treno quasi vuoto, non sarebbe venuto a sedersi proprio nel mio scompartimento. Per scoraggiarlo rimasi immobile, senza togliere i piedi dal sedile di fronte, lo sguardo affondato nel libro. Provavo un certo risentimento verso quelle ginocchia fasciate di flanella che occupavano ora una fettina del mio campo visivo, là dove traboccava appena sopra l'orlo della pagina. Avevo sperato in un viaggio solitario e riposante: un capitolo o due da Livorno a Viareggio, poi tutto un sonno fino a Milano. E, quasi senza svegliarmi, la corsa in taxi per le strade deserte fino al miraggio supremo: il divano nel soggiorno di Mina.

Ero stanca. Lunedì presentazione del nuovo romanzo in una libreria di Brescia, martedì intervista a Radio Lugano, mercoledì riposo, giovedì venerdì e sabato triduo letterario all'Istituto Italiano di Cultura di Zagabria, domenica e lunedì riposo, martedì incontro con il pubblico all'oratorio delle Clarisse di Rapallo, mercoledì mattina a Roma per il 3131, pomeriggio dello stesso giorno al Centro Donna di Livorno... E sempre, in fondo al cuore, il sospetto che tutto questo non servisse a niente, o a pochissimo. Una vocina interiore, assumendo ogni giorno toni più autorevoli, mi suggeriva che se il libro era buono si sarebbe scavato da solo la strada tra l'indifferenza del pubblico, senza bisogno che io così faticosamente lo accompagnassi per mano. E, peggio ancora, la stessa voce mi accusava di sottopormi a quelle disumane fatiche solo per vanità, vanità da principiante. I Grandi, i Mostri Sacri, non facevano niente del genere. Erano le mezze tacche a correre dietro a tutto, mi dicevo. Ma intanto continuavo a vorticare, assieme al mio terzo romanzo, in quel micidiale carosello a cui né il primo né il secondo erano stati invitati: come se cercassi di uscire da un banco di sabbie mobili che rischiava di tenermi incollata per sempre a un certo stadio della mia vita. Sentivo che il successo ottenuto dal mio ultimo libro era di un'inezia appena troppo grande perché io potessi conservare quel sentimento di infantile eccitazione che aveva accompagnato l'uscita dei primi due; ma se lo guardavo dall'altra parte del cannocchiale mi appariva spropositatamente più piccolo di quanto fosse necessario per appagarmi veramente. Avevo ottenuto quel poco che era bastato a farmi avvertire la mancanza del moltissimo che non avevo, e a indurmi ad affrontare massacranti fatiche per procurarmelo.

Rileggo l'ultima parte, cominciando da "E sempre, in fondo al cuore". Mio Dio, è orribile. Tutto un "di" un "da" un "che". È quello che ancora oggi — dopo tanti anni di mestiere — accade alle mie frasi quando cerco di mettere sulla carta un pensiero che non domino completamente. Come se avessi fretta di forzarlo in un unico periodo, martellandocelo dentro a suon di relative, alla svelta, prima che mi sfugga; caso mai un punto e virgola per prendere fiato, ma sempre addosso alla cosa che non vuole lasciarsi dire, come un terzino cattivo, senza mollare la presa fino in fondo.

Ma se i miei difetti di impostazione non sono granché migliorati, i sentimenti che volevo esprimere quando ho scritto il racconto, oggi mi sono chiarissimi; oggi che li ho perduti, o superati. In ogni caso li posso maneggiare con perfetta padronanza, come se mettessi a posto uno dei miei cassetti.

Con destrezza dipano il groviglio, rallento il passo della frase, sostituisco in qualche punto il procedimento sintattico con quello paratattico. Ora sono tre pagine, che illuminano in maniera abbastanza convincente cosa succede quando si perde l'innocenza; la vo-

ragine dei desideri insoddisfatti che si fa sempre più grande e più vuota via via che la si riempie.

Taglio ancora, riduco il tutto a una pagina e vado avanti.

Alle diciannove e trentacinque ero salita alla stazione di Livorno in uno scompartimento vuoto: avevo sciorinato tutti i segnali necessari a comporre il messaggio: VOGLIO STARE SOLA - CERCATEVI UN ALTRO POSTO. Avevo chiuso la porta abbassando le tendine; avevo steso un giornale sul sedile di fronte al mio per mettere su i piedi; mi ero coperta le gambe con il cappotto e mi ero sprofondata nella lettura di un romanzo giallo.

Conoscevo quel treno: era pessimo, lento, non aveva servizio di ristorante e neppure il carrello del caffè. Ma potevo sperare, poiché spesso mi era capitato, di viaggiare sola. Quello era l'essenziale, per poter dormire. La mia vita era molto cambiata, negli ultimi tempi, e mi stavo progressivamente adattando a un mucchio di cose: avevo imparato a contrattare sulle percentuali dei diritti d'autore, a parlare in pubblico, a superare piccoli e grandi pudori. L'ultima sponda intatta era una specie di riservatezza personale, corporea, diciamo; qualcosa che — per esempio — mi impediva di abbandonarmi al sonno sotto occhi estranei.

Memorizzo, per evitare che uno sbalzo di tensione possa cancellare tutto, ed esco sulla terrazza per respirare una boccata d'aria.

La moglie del dottor Imposimato, che abita sotto di me è un'autentica cialtrona, ma non si può negare che abbia il pollice verde. Il suo balcone — pieno di scatole vuote, pentole in disuso, brandelli di plastica, stracci, tubi e corde gettati in mucchi informi — trabocca di un'incredibile vegetazione, tutta contemporaneamente in fiore, che si arrampica verso di me a porgermi un omaggio di colori e profumi doppiamente immeritato: perché il mio amoroso e metodico impegno di giardiniera non ha mai saputo

92

produrre niente di simile, e perché la sciatta moglie del medico mi è istintivamente antipatica e non è giusto che io mi goda i suoi fiori. A volte penso che potrei cercare di coltivare almeno un'aiuola di pace e di tolleranza dentro di me, pregando gentilmente la signora Imposimato, visto che è così brava con i fiori, di dare anche un aspetto civile al suo balcone; ma mi fa troppo paura l'idea di entrare in rapporto con i miei vicini.

Il fatto è che durante i dieci anni che sono trascorsi dal giorno della avventura in treno non sono cambiata molto riguardo a quella riservatezza personale, corporea, diciamo. Anche qui non mi sono espressa bene, ma è molto difficile spiegare certe sottigliezze senza cadere nell'odiata terminologia psicoanalitica. C'è una cosa, per esempio, che potrei mettere nel racconto — come una digressione adatta a illuminare il personaggio della narratrice. Una cosa vera allora come oggi, che mi accade quando mi tocca fare la coda, per esempio al banco del check-in, incastrata in una di quelle file lunghe che — tagliando in due tutto l'atrio della stazione aerea — vengono necessariamente attraversate di continuo da viaggiatori diretti ad altri sportelli. Ho osservato che in quell'occasione il flusso perpendicolare, nella sua istintiva ricerca del punto di minore resistenza, si stabilizza regolarmente davanti a me, nello spazio tra me e la persona che mi precede nella coda. E ne ho dovuto dedurre che in tutta la fila — a dispetto dell'istinto che indurrebbe anche me a spingermi quanto più possibile in avanti, nell'illusione di fare più presto — sono sempre io, tra tutti, la meno disposta ad appoggiarmi alle natiche del mio predecessore. Se potessi — in una forma qualsiasi, che scivolasse dentro al racconto senza produrre intralcio per la vicenda principale — dare un'idea del disgusto che la narratrice prova per ogni casuale intimità... il brivido di fastidio, dal droghiere, quando grandi tette premono sul suo braccio, spingendola verso il banco...

Torno al computer, metto la luccioletta sull'ultima frase... qualcosa che — per esempio — mi impediva di abbandonarmi al sonno sotto occhi estranei. Dopo qualche riflessione decido che non è necessario illuminare ulteriormente i pudori della narratrice, che in questo racconto, dopo tutto, non ha una parte di grande rilievo. Lascio perdere la fila all'aeroporto e vado avanti.

Ma l'estraneo era ormai entrato, aveva salutato, si era accomodato sul sedile diagonalmente opposto al mio. Certo, avrei potuto raccogliere le mie carabattole e cambiare scompartimento, ma che razza di gesto sgarbato, antipatico, altezzoso sarebbe stato... Anche quella una cosa che non avevo ancora saputo imitare dall'ambiente lievemente ferino in cui ero entrata.

Rimasi dov'ero, chiusa ermeticamente nel mio proposito di non comunicare. Non lo guardai neppure in faccia: di lui vidi solo il vestito grigio e la ventiquattrore di pelle nera.

Non accadde nulla fino alla stazione di Pontremoli. A quel punto, dopo che il treno ebbe infilato uno scambio con uno scrollone più energico degli altri, il mio compagno di viaggio si accorse che una manica del cappotto steso sulle mie gambe era scivolata e spazzava il pavimento. Si sporse allora verso di me, la sollevò, ne spolverò il polsino con la mano e me la riappoggiò con delicatezza sulle ginocchia.

È la seconda volta che scrivo, per pudore, cappotto: avrei dovuto dire pelliccia. Al tempo dell'episodio che sto raccontando ancora non pensavo all'indumento che mi avvolgeva come al risultato di una carneficina. Abbasso lo sguardo sui miei mocassini di pelle e mi rendo conto che mi dà più imbarazzo riflettere oggi sulla loro origine cruenta, di quanto ne provassi allora avvolgendomi nel tre quarti di visone comprato a rate con i primi proventi del mio lavoro.

È strano come le nostre coscienze, mentre da un lato vanno imbarbarendosi, facendo il callo dove prima c'era carne scoperta, sviluppino in altre zone punti di nuovissima sensibilità; e forse è questo che fa sembrare altrettanto imbecilli coloro che esultano per il progresso della civiltà quanto quelli che ne lamentano la morte.

Io, in ogni caso, ho amato quella giacca con vero trasporto, ai suoi tempi. Significava molto, per me: e l'uomo del treno lo aveva capito.

Per rispetto della verità e anche per lealtà verso quei disgra-

ziati visoni che hanno dato la vita per la felicità di una povera scrittrice alle prime armi, cancello "cappotto", metto "pelliccia" e vado avanti.

Il gesto dello sconosciuto era stato pieno di solleci-tudine: non potei fare a meno di alzare gli occhi, nel ringraziarlo; non potei evitare di vedere il suo sorriso garbato, quasi affettuoso. Gli sorrisi anch'io e subito mi trovai trascinata, come da una corrente alla quale è inutile opporre resistenza, nella conversazione che tanto avevo voluto evitare.

«Permette?» disse. «Mi chiamo Bianchini.» Sbrigò subito le prime domande di rito: dove ero salita, dove avevo intenzione di scendere, se facevo spesso quella linea. Espresse in fretta la tradizionale lamentela di tutti coloro che viaggiano su quel treno a proposito dei pessimi collegamenti tra Milano e la costa toscana. Era come se avesse già riflettuto su quello che avrebbe dovuto essere il tema della nostra conversazione e fosse impaziente di venire al dunque. Mi chiese infine del mio lavoro.

«Scrivo» risposi.

«Appunto, mi pareva. L'ho vista in televisione. E cosa scrive? Romanzi, racconti?»

«Sì» dissi.

«Anche saggi? Opere storiche?»

«No, quello no.»

L'uomo in grigio emise un sospiro. «Certo, l'ispirazione, la fantasia... Ma le opere scientifiche... Quelle sono cose più...» Stava certamente per dire "più serie", ma era troppo gentile per esprimersi in modo così perentorio. «Più obiettive. Con la narrativa non si sa mai dove finisce la verità e dove comincia l'invenzione. È una faccenda delicata, e mi domando se voi scrittori ve ne rendiate conto.»

«Un po' si copia dalla vita e un po' si inventa» risposi. «È sempre stato così.»

« Ebbene, è proprio quello il punto. È il modo come si accostano le cose — le cose vere e quelle inventate... È una faccenda delicata » ripeté. « Pericolosa. »

Rimase per un attimo in silenzio. Era un bell'uomo, alto, ben fatto. Dimostrava trent'anni, forse qualcuno di più. Bruno, abbronzato, i suoi lineamenti squadrati, aperti, irradiavano lealtà; aveva gli occhi azzurri. Quando riprese a parlare un'ombra gli scese sul viso.

« Dovreste stare attenti a quello che scrivete. Io so di una cosa che è accaduta... Una cosa terribile. »

Cambiò posto, mi venne più vicino, si chinò verso di me e cominciò il suo racconto.

« Una cosa terribile, e accadde per colpa di una novella... Dio mio, si può immaginare nulla di più futile... Solo per il gusto di mettere insieme otto o dieci pagine di sostantivi, di verbi... Insomma » si schiarì la gola e seguitò a parlare con tono più fermo « insomma, c'era una coppia, marito e moglie, nella mia città. Lei » — qui la sua voce si incrinò appena appena — « lei era bellissima. Si chiamava Nina ed era bellissima. »

« E lui? »

« Lui si chiamava Paolo. Si erano conosciuti al liceo. Nina era nella squadra di pallacanestro... Una ragazza piena di salute. Si volevano bene fin da ragazzi... Sa come succede. »

« Erano suoi amici? Anche lei era compagno di scuola di Nina e di Paolo? »

La mia banale interruzione parve confonderlo.

« Come? »

« Eravate tutti e tre allo stesso liceo? »

Esitò un attimo poi sorrise.

« Tutti insieme, sì. »

Mi domando se sarebbe opportuno sottolineare in modo più marcato l'esitazione che aveva accompagnato l'ultima risposta dell'uomo in grigio. La cosa da porre in evidenza — il suo desiderio di defilarsi, di non comparire nel racconto — mi sembra già ab-

bastanza efficacemente messo in risalto, per contrasto, da quelle goffe notizie che la narratrice "esterna" — io, in sostanza — si è premurata di fornire su se stessa. Cerco di ricordarmi se nella realtà il signor Bianchini, dopo aver cominciato il suo racconto, abbia mai detto "io" o comunque lasciato affiorare il proprio personaggio nel corso della vicenda, e concludo che questo non è mai accaduto. Ma ricordo benissimo che, dal momento in cui aveva detto «lei, era bellissima» non avevo avuto alcun dubbio. Lui amava quella donna e quindi era anche lui dentro a quella storia. In sostanza ero in procinto di udire la storia di tre personaggi, anche se ne venivano nominati solo due. Il terzetto si era materializzato nella penombra dello scompartimento ferroviario. Li avevo visti prepararsi per gli esami col thermos di caffè sulla scrivania; nuotare nel fiume; sciare sull'Appennino durante la settimana bianca. Una situazione umana per niente rara, con le radici nell'adolescenza. Nina, Paolo, e il giovane Bianchini: gli inseparabili. Un cliché vecchio come il mondo: l'innamorata, l'innamorato e il terzo dispari — cavalier servente, amico leale di lui, silenzioso e sfortunato adoratore di lei.

Metto giù una paginetta di colore che descrive la vita studentesca in una piccola città, dove il personaggio del signor Bianchini nelle vesti di secondo innamorato appare tra le righe senza venire mai definito in modo rigido.

Lascio una riga bianca e attacco il nocciolo del racconto.

«Non ci furono ostacoli all'amore di Paolo e Nina» disse il signor Bianchini. «Le famiglie erano entrambe benestanti, lui si laureò senza ritardi ed entrò subito nella piccola industria paterna. A ventitré anni si sposarono, due anni dopo ebbero un maschietto e più tardi una bambina. Avevano comprato una casa in campagna, con un frutteto. Due volte l'anno lasciavano i bambini ai nonni e facevano un bel viaggio. Paolo sarebbe stato abbastanza sedentario, ma si rendeva conto di aver sposato una donna speciale e naturalmente non c'era nulla che non avrebbe fatto per lei.»

Aveva detto «naturalmente» con un tono che non

mi piacque. Toglieva a Paolo tutto il merito della sua devozione, facendone risalire la causa alla presunta eccellenza del suo oggetto. Nina, secondo il signor Bianchini, era una principessa da fiaba e quindi aveva il diritto a essere viziata dal marito. Naturalmente.

Cominciò a descrivermela. Bruna, statuaria, impulsiva, estroversa. A sentirlo parlare sembrava che tutte le altre donne non esistessero, e in particolare le bionde magroline razionali e riservate come me. Per ogni donna c'è qualcosa di irritante nell'udire un uomo — soprattutto un uomo attraente — farla lunga fuor di misura sui pregi di un'altra; e il mio compagno davvero non badava a spese.

Completo la descrizione fisica di Nina, memorizzo e stacco il computer. È giovedì, giorno di mercato nella piazza sotto casa mia. Mentre scendo le scale, due domande si rincorrono nella mia mente. La prima: quanto costerebbe fare istallare l'ascensore? La seconda: anche Carlo, ai suoi tempi, "si rendeva conto di aver sposato una donna speciale e naturalmente non c'era nulla che non avrebbe fatto per lei..." cioè per me?

E Marco? Be', lui no di certo, lo ha dimostrato. E gli altri, i compagni morganatici che hanno diviso la mia casa e la mia vita per tempi più brevi?

Compro frutta e verdura per tutta la settimana e mi lascio tentare da sei vasi di ciclamini rossi. Il fioraio mi promette che me li manderà a casa assieme alla spesa.

« Guardi che ho una montagna di roba. Mi fa portare su tutto quanto? »

« Per lei sì, bella signora. »

Compro anche il pane e le altre cose che mi mancano e lascio ogni cosa a lui. Sono anni che il fioraio si assume il ruolo di fattorino per tutte le sue clienti, ma con ciascuna finge garbatamente di fare un'eccezione. Sa che il suo omaggio del giovedì mattina è per molte l'unica gentilezza che ricevono in tutta la settimana e, come un pubblico funzionario scrupoloso pone la cura massima nel dare a ognuna la dose di sua spettanza.

Senza pacchi, con le mani nelle tasche della giacca, percorro
per due volte il perimetro della piazza Vetra, incontrando i soliti
cani e padroni di cani che vedo ogni giorno. Al terzo giro mi fermo
a prendere i giornali all'edicola, sfioro la libreria all'angolo, sbir-
ciando senza fermarmi (il mio libro è in vetrina, in posizione di
soddisfacente rilievo), e vado a sedermi dietro l'abside di San-
t'Eustorgio per dare un'occhiata alle notizie.

Torno a casa solo quando vedo il garzone del fioraio che si
avvia con il suo carretto pieno di vasi e di pacchi.

Dall'appartamento della signora Imposimato sgorga un dia-
logo radiofonico a volume altissimo che sale fino alle mie finestre.
Chiudo, metto a lessare dei finocchi e torno al computer.

Forse perché eravamo chiusi in uno scompartimento illuminato fiocamente, foderato di vecchio velluto rosso; forse perché non c'era nessuno in tutto il
vagone, oltre a noi, e il treno sembrava viaggiare nella
notte buia per volontà propria, non so. Forse perché
ero così sola, forse perché la mia prima pelliccia me
l'ero comprata con i miei soldi, forse perché ero e sono
così razionale e tutto sommato abbastanza forte, forse
perché appunto, come in questo momento, cerco sempre la spiegazione logica delle cose e finisco quasi sempre per trovarla. Insomma, accadde qualcosa tra me e
il signor Bianchini, o piuttosto accadde qualcosa a me,
che aveva per oggetto il signor Bianchini.

Mi fermo per domandarmi se devo mettere nero su bianco,
scrivendo francamente: "mi innamorai del signor Bianchini". È
un'affermazione poco credibile, e anche se servita con la sua brava
salsetta di ironia, mantiene un tono enfatico che non mi è conge-
niale. Cerco di far rivivere quella notte, pur sapendo che ai fini
letterari la verità storica non ha nessuna importanza; e in ogni ca-
so non riesco a ricordare di preciso che nome avrei potuto dare, al-
lora, alla cosa che accadde a me, che aveva per oggetto il
signor Bianchini. So che non credo al coup de foudre come non
ci ho mai creduto in passato; e quindi devo mettere in rilievo, in

qualche modo, che, se il signor Bianchini, come individuo era uno sconosciuto, forte solo della raccomandazione — non irrilevante — della sua bellezza, mi era perfettamente noto come simbolo universale, tanto da rimettere in movimento vecchie emozioni, nate molto prima del nostro fortuito incontro. Insomma, con lui non si sarebbe trattato tanto di un inattendibile amore a prima vista quanto di un sentimento maturato negli anni e risvegliato da lui per una sua semplice, pragmatica conformità al modello. Scrivo:

Quella figura in grigio seduta accanto a me incarnava tutto il dissennato spreco d'amore che impoverisce questo nostro universo caotico più di tutti gli altri folli consumi a vuoto di energia, di ossigeno, di acqua.

Non so dire di più. Vorrei scrivere, a caratteri speciali, enormi, distorti, tali da non poter essere pronunciati altro che in forma di grido disperato: LE DONNE SONO DESTINATE A ESSERE AMATE SEMPRE O MOLTO AL DI SOTTO O MOLTO AL DI SOPRA DEI PROPRI MERITI. Ma come sempre quando il grido è troppo stentoreo, c'è dentro un buon pizzico di bugia. In realtà tutti, donne o uomini, sono destinati a essere amati molto al di sotto o molto al di sopra dei loro meriti. E poi, se il racconto dovesse essere la testimonianza di questa eterna verità, dovrei cominciare con il costringere il lettore a prendere atto di una presunta pochezza di Nina, fornendo elementi sufficienti a provarla; e paragonarla indirettamente alle grandi qualità della narratrice; e, sempre indirettamente, suggerire che quest'ultima era amata male, o poco, o niente. Ma otterrei un effetto comico che non è nelle mie intenzioni. Lasciamo stare.

Mi ero rannicchiata raccogliendo le gambe sotto il corpo e stavo acciambellata sotto la mia pelliccia, ascoltandolo.

Nina, in breve, avrebbe meritato molto di più, perché non era solo bella. Era sensibile, intelligente, amava la poesia, la pittura, la musica; anelava a tutto ciò che era squisito, artistico, sublime. Traboccava di quelli che la gente del suo stampo definisce "interessi". Al povero semplice, laborioso, gentile Paolo, che non sapeva di lettere e arti, spettava la missione di ammirarla incondizionatamente, portarla in giro per il mondo ogni volta che poteva, accompagnarla a tutti i concerti e rappresentazioni teatrali offerti dal buco di provincia dove vivevano. Ma era chiaro che non poteva bastare.

«Non vedo perché» osservai. «Sono sicura che la vostra è una cittadina deliziosa, e il suo amico Paolo un marito impagabile. Nina è una donna fortunatissima, direi, soprattutto dal momento che siete in due a viziarla, se non mi sbaglio.»

Non mi ascoltò neppure e andò avanti nel suo racconto. Nina era infelice. C'erano i viaggi, i concerti, il cinéma d'essai, l'adorazione di Paolo e tutto il resto, ma per lei non bastava più. Amava suo marito, i bambini, la casa, ma la vita fuggiva via... Forse aveva avuto in sorte dei talenti, e cosa ne aveva fatto? Quella forza che le si agitava dentro, pronta a manifestarsi, quanto ancora avrebbe potuto attendere? Il tempo correva, il passato era sempre più lungo, il futuro sempre più breve: qual era il rimedio?

Cominciò a mangiare troppo, smaniosamente; a ingrassare. Poi prendeva le pillole per dimagrire e diventava nervosa, le veniva l'insonnia. Voleva un bene dell'anima al suo Paolo, tanto che a volte le veniva da piangere di tenerezza, ma aveva perduto la fantasia di fare l'amore. Quando lui la sera le si avvicinava, le cadeva addosso un sonno mortale e sentiva che non poteva fare a meno di girarsi dall'altra parte per chiudere gli occhi un attimo solo. Si svegliava ore dopo, nel bel mezzo della notte, oppressa da un disperato senso di colpa. Allora andava in cucina e faceva fuori tutti gli avanzi del frigo.

Mi aspettavo che, a un certo punto, il signor Bianchini mi raccontasse della trasformazione del trio in quartetto, poiché aveva la fede al dito, a prova del fatto che un bel giorno era entrata in scena anche una signora Bianchini. Ma non toccò mai quel punto. Neppure indirettamente mi fece capire di essersi sposato, non disse: "Nina, Paolo, mia moglie e io facevamo, dicevamo...". Era chiaro che la povera signora Bianchini non aveva mai contato nulla: era stata ingaggiata come moglie-madre, moglie-cuoca, moglie-governante e forse anche e soprattutto moglie-incubatrice, per nutrire l'embrione di qualche piccolo Bianchini. Era sicuramente rimasta al margine, senza mai diventare veramente amica di Nina. Se questo era vero, significava che i particolari intimi che il signor Bianchini mi stava raccontando non li aveva appresi di seconda mano, attraverso le confidenze tra le due donne, così come certo non era stato Paolo a raccontarglieli. Era stata lei, evidentemente, a confessarsi con lui, e la vidi, come se l'avessi avuta davanti agli occhi. Solleva il telefono e lo chiama in ufficio... «vieni a trovarmi, sii buono, ti faccio un thé... Paolo non rientrerà fino a domani, e io mi annoio tanto...». E poi il racconto delle sue angosce, con tutti i dettagli, e alla fine «fermati a mangiare con me due spaghetti...» e avanti fino a tardi, e lui, povero scemo che ascolta e conforta pieno di inutile amore...

Era come se in quello scompartimento ferroviario si stessero svolgendo due storie. Nel cerchio di luce delle lampadine una giovane scrittrice volitiva e indipendente annegava in un disperato bisogno di debolezza, si faceva piccola come una bambina e lanciava silenziose invocazioni d'aiuto. Nella penombra, tutto attorno, sui velluti rossi, come in un cinema totale, si proiettava la vicenda della bella signora scontenta e dei suoi due innamorati.

Nina provò a mettersi a dipingere. Paolo mise a posto per lei (naturalmente) lo stanzone sottotetto, collegandolo con l'impianto di riscaldamento centrale, istallando moquette, frigobar e tutto quanto il suo cuore innamorato riuscì a escogitare. Venne una cosa molto artistica, con travi di legno a vista, abbaini, cavalletti, tele sparse, un manichino snodabile, fasci di pennelli in pelo di zibellino. Per qualche tempo Nina dipinse: cose molto graziose, a detta di tutti. Era lei che continuava a non essere soddisfatta, era lei che pretendeva troppo da se stessa.

Via via che il signor Bianchini seguitava a parlare, Nina mi piaceva sempre meno. Era la prova vivente di un'empia perversione della natura umana. Quella che l'uomo in grigio mi descriveva era una donna senza particolari qualità che, proprio per questo, aveva saputo toccare le corde più segrete, più inconfessabili negli abissi della sensibilità di due uomini. Poi, l'adorazione di cui era oggetto, invece che ispirarle una sana gratitudine per la propria buona sorte, l'aveva condotta a un esagerato concetto di sé, rendendola sempre più capricciosa, più pigra e quindi più desiderabile. Un circolo vizioso senza fine.

In ogni caso, Nina era insoddisfatta. Perché, in nome di Dio? Cosa voleva di più? Cosa c'è di più bello che essere amati? Ma lei, manco a dirlo, voleva "realizzarsi". Quello era l'imperativo. Ebbene, che la smettesse di farsi servire e riverire, e soprattutto che si tirasse su le maniche cominciando a dar prova di sé sulla base delle sue autentiche capacità, quali che fossero, senza inseguire sogni romantici. Meglio fare concretamente dei bei pullover ai ferri che rimanere per tutta la vita un'artista ipotetica, virtuale.

Pensai tutto questo, ma era inutile dirlo al signor Bianchini, come era inutile osservare che per Nina era molto più facile convincere lui, povero bietolone, oltre a se stessa e a Paolo, di essere una specie di potenziale Virginia Woolf, piuttosto che mettersi a ricamare dei reali centrini, cucinare dei tangibili minestroni. Stavo in silenzio e lo lasciavo dire, e lui seguitava a raccontare.

Paolo e Nina si sentivano come se stessero annegando insieme in uno stagno immobile, cosicché a tutti e due prese la smania di fare qualcosa; e qualunque cosa sembrava meglio di nulla. Cominciarono persino a parlare di separazione, anche se Paolo non la desiderava affatto e Nina non riusciva a immaginare cosa avrebbe potuto farsene, della riconquistata libertà. Si aggrappavano l'uno all'altra offrendosi reciprocamente il divorzio come un estremo dono d'amore che nessuno dei due se la sentiva di accettare.

All'improvviso sembrò giungere dal cielo la risposta, la soluzione a tutti i problemi. Un famoso scrittore — il signor Bianchini non volle dirmene il nome — possedeva da molto tempo una cascina, riadattata a casa per il fine settimana, proprio ai confini con la proprietà di Paolo e Nina. Scapolo, conosciuto negli ambienti letterari come un uomo impossibile, scontroso, un vero orso, veniva ogni tanto a rinchiudersi in campagna, per lavorare. Faceva una passeggiata all'alba poi se ne stava per tutto il tempo alla macchina da scrivere, tanto che i suoi vicini non l'avevano mai incontrato.

Un giorno, per una serie di combinazioni — una nevicata, un guasto all'impianto elettrico — Paolo e Nina ebbero occasione di prestargli aiuto. Fu un reciproco colpo di fulmine: divennero amici, e in poco tempo lo scrittore imparò, guidato dai due giovani, ad assaporare gioie che non aveva mai conosciute. Mentre il signor Bianchini seguitava a raccontare vedevo con vivezza straordinaria il Maestro che scopriva la vita semplice, i rapporti umani. Con Paolo e Nina andava per funghi, cenava accanto al fuoco d'inverno, sotto la pergola d'estate. Amava i loro bambini, la loro casa, i loro cani. Trovava, ora, il tempo per venire da Milano quasi tutti i fine settimana, e veniva per immergersi con gratitudine e gioia nella sua nuova famiglia di adozione. Stava sempre con loro: Paolo silenzioso, sollecito — era lui che lo andava a prendere all'aeroporto, che pensava a chiamare gli operai per i lavori di manutenzione della cascina, che gli ordinava il gasolio — Nina splendida come non era mai stata, raggiante di felicità, il mento appoggiato sulla mano, gli occhi neri attenti, immersa con il Maestro in un dialogo fitto, appassionato — poesia, arte, musica.

«Era rinata» seguitò il signor Bianchini. «Con l'essere diventata l'amica, la confidente, la musa di un grand'uomo, sentiva di aver trovato il modo di adempiere al suo impegno creativo. Ora la sorgente che si generava in lei — erano proprio le sue parole — non andava più dispersa, ma si raccoglieva tra le mani dell'alchimista capace di utilizzarla, trasformandola in letteratura. Non le mancava più niente. Il sentimento per Paolo si rinnovò, tornò alla passione, alla trepidazione dei primi baci. Era diventata più bella e ne era profondamente consapevole. Nel fare l'amore si compiaceva e godeva del proprio corpo come di quello del suo amato compagno.»

Nel tono del signor Bianchini non percepii ombra di gelosia nei confronti della rinnovata intesa amorosa dei suoi amici, e non me ne stupii troppo. Quello che piuttosto mi meravigliò fu di non sentir vibrare la minima nota ostile nei confronti del Maestro. Eppure la sua entrata in scena doveva per forza aver interferito nell'antico legame del fedele amico con Paolo e Nina. Pensai, con un impeto di tenerezza e di pena, che l'abitudine a essere spettatore amoroso, anziché attore, lo predisponesse a passare dalla condizione di terzo a quella di quarto senza soffrire troppo per la retrocessione.

«Tutto bene, allora» dissi. «Tutto per il meglio.»

«Sembrava. Solo che poi accadde una cosa. Una cosa terribile. Ecco perché dicevo che voi narratori dovreste stare più attenti a quello che scrivete.»

Si passò una mano sul viso e sospirò. Il treno correva tra gli Appennini, nell'oscurità desolata della notte invernale.

«Lui» continuò, «lo scrittore, pubblicò un racconto sul "Corriere della Sera". Era un ritratto dei suoi amici di campagna.»

Non appena ebbi udito queste parole capii perché mi sembrava di aver assistito io stessa alla nascita dell'amicizia tra lo scrittore e i due giovani: avevo letto quel racconto. Seppi che l'illustre personaggio era Attilio Radi, rividi il titolo — *La carezza di Dio* — rammentai il testo.

«Un ritratto molto affettuoso» stavo per dire. Ma per rispetto alla discrezione del mio compagno di viaggio preferii seguitare a non far nomi, fingendo di essere all'oscuro di tutto.

«Dedicava quasi più spazio a Paolo che a Nina» riprese lui. «Lo descriveva forte, mite, generoso, bello.»

«E lo era? Lei non me ne ha parlato molto.»

Alzò le spalle. «Oh, quanto a questo... Sì, suppongo di sì.» Fu un'alterazione minima, una nota appena un po' acre nella costante dolcezza della sua voce. Come se per la prima volta il signor Bianchini manifestasse una certa ostilità nei confronti del suo vecchio amico. Forse la trasformazione di Paolo in personaggio letterario aveva destato in lui un'invidia che motivi ben più fondati non erano stati capaci di suscitare per tanti anni? Ma questo era impossibile. Sarebbe stata una reazione di una frivolezza che non mi sembrava degna del signor Bianchini. La verità era con ogni evidenza un'altra: se, per una volta nella vita, il mio compagno di viaggio aveva provato un sentimento negativo verso il marito della donna amata era stato solo per una assurda solidarietà verso di lei che, come personaggio letterario, era stata offuscata, in quel racconto, dalla figura di Paolo.

Cercai di ricordarmi bene il testo. C'era il solito

tocco di commozione immerso in quella sovrabbondanza un po' enfatica di buoni sentimenti, che erano il marchio di fabbrica del nostro grand'uomo. C'era quel suo falsetto dolciastro, che sempre mi metteva a disagio, suscitando in me un'invincibile diffidenza. "Che denti lunghi hai, nonnina" avevo voglia di dire quando lo leggevo. Ma c'era nello stesso tempo la sua inconfondibile zampata: anche con la cuffietta — e lui non se la toglieva mai — quello scrittore era pur sempre un lupo, dopotutto, e aveva quella qualità che riuscivo solo a definire come magistrale, assoluta, sprezzante padronanza. *La carezza di Dio* assomigliava a tutto quello che usciva dalla penna di Attilio Radi: era un brutto racconto scritto da un grand'uomo. E benché fosse vecchio di dieci anni lo ricordavo benissimo.

Era vero, mostrava grande affetto per Paolo, e verso la sua bontà quasi una reverenza, come di fronte a un miracolo. Ricordai l'episodio che dava senso allo strano titolo: "Il Creatore, per fare quell'uomo" diceva "aveva scelto la materia più salda, più limpida; e, compiaciuto della sua opera, lo aveva mandato per il mondo accompagnandolo con una paterna carezza sul capo: un tocco divino che gli aveva lasciato sulla nuca, tra i capelli neri, una ciocca d'argento".

Di certo, pensai, l'autore era rimasto impressionato dall'infinita pazienza di Paolo per i capricci e le smanie intellettualistiche di Nina; e richiamando l'attenzione del lettore su quel segno particolare, aveva voluto conferire al personaggio l'aureola della santità.

«Dunque» dissi, «Paolo veniva descritto come un uomo forte, mite, bello. E Nina?»

«Fu quello, appunto. Fu terribile.»

Io ricordavo un ritratto pieno di ammirazione e di amicizia: una dea del focolare, incantevole e gentile... Ma non potevo dirlo, perché avevo deciso di non rivelare che conoscevo il racconto.

«Perché terribile?» domandai.

«Oh, sfumature. È difficile da spiegare. Tanto per cominciare la descriveva, in contrasto con le donne che lui frequentava negli ambienti intellettuali di Milano, come una specie di terreno vergine. Affascinante, sì, ma proprio per la sua autenticità e incontaminata naturalezza... Niente testa, niente cultura, solo cuore, solo impulsi — amore, maternità, ospitalità, amicizia, generosità... Aveva avuto la faccia tosta, tanto per fare un bel racconto, di dare una simile immagine di lei, di lei che si nutriva del proprio anelito a qualcosa di grande... Oh, come spiegare l'offesa sanguinosa che quell'articolo fu per Nina?»

«Mi scusi, sa, ma secondo me è davvero difficile capire perché si sia offesa. In fondo quel cosiddetto anelito era una cosa — diciamo pure — immaginaria, mentre le virtù che il racconto le attribuiva, se ho ben capito, erano reali, oltre che nobilissime: non le pare?»

«Come?» mi guardò smarrito, senza riconoscermi, credo. «Tutto quello che Nina era, le cose che aveva nel cuore... Ecco, le basti un particolare, quello che per Nina, poverina, fu certo la goccia fatale: il racconto terminava dicendo — non so riferirlo bene, non sono uno scrittore, io — terminava affermando che marito e moglie erano bene assortiti... si rende conto? Fatti l'uno per l'altra, *simili*. Lei si rende conto? Tutto quello che Nina aveva di speciale, di diverso... Zero, non aveva visto nulla. Lei glielo aveva donato a piene mani e lui non lo aveva neppure visto. Per lui Nina e Paolo erano due gemelli, due gocce d'acqua.»

Ricordavo anche questo. Avevo anche pensato, quando avevo letto il racconto, che l'autore si era servito a piene mani, attingendo a un inedito di Henry James — *Hugh Merrow* — di cui aveva copiato senza esitare alcune impareggiabili osservazioni che descrivevano una coppia miracolosamente omogenea.

«E questo la offese?» Ero allibita. Non riuscivo a rassegnarmi all'incrollabile devozione che il signor

Bianchini continuava a nutrire per Nina anche di fronte a quest'ultima prova di diabolica supponenza. E soprattutto non riuscivo ad accettare la sua mancanza di solidarietà nei confronti di Paolo. Come poteva ammettere che quella scema si fosse legittimamente offesa perché aveva letto su un giornale che lei assomigliava al suo amabilissimo marito? D'altra parte questo spiegava quella specie di risentimento che avevo avvertito poco prima nella voce del mio compagno di viaggio: lui, che aveva serbato per anni inalterata amicizia verso il marito della donna amata, ora non perdonava a Paolo... Che cosa? Di essere stato involontariamente la causa di una ferita alla ingiustificata vanità di sua moglie... Che assurdità! Calcando sulle parole dissi ancora:

«*E questo la offese?*»

Il signor Bianchini non rispose subito. Poi sospirò e sollevò le palpebre, piantandomi in faccia uno sguardo disperato.

«Questo la uccise.»

Da un bel pezzo l'Appennino era rimasto alle nostre spalle e ora il treno correva nella pianura padana con un rumore così uniforme da non alterare il silenzio assoluto che cadde tra di noi e riempì lo scompartimento per qualche istante. Poi l'uomo in grigio riprese a parlare.

«Era sola, quando vide l'articolo. I bambini erano al mare con la nonna, Paolo a Roma per seguire una pratica, la domestica in ferie. Una fatalità. Lei si chiuse in cucina, tappò tutte le fessure e aprì i rubinetti del gas. Aveva trentadue anni.»

Il treno rallentò, si fermò. Il cartello azzurro che apparve fuori dal finestrino diceva "Piacenza".

«Io sono arrivato» disse il signor Bianchini con un sorriso gentile. Mi strinse la mano e aggiunse: «State attenti a quello che scrivete». Prese la ventiquattrore e scese dal treno. Lo seguii con lo sguardo, prima distrattamente, con il pensiero rivolto agli stampi di rame ap-

pesi alle pareti, ai mobili di laminato plastico, alla povera creatura — ormai assolta da ogni peccato — raggomitolata sul pavimento di piastrelle azzurre;

*Al punto e virgola il racconto si interrompe. Sono passati
molti giorni da quando ho scritto quest'ultima riga. Spesso l'ho ri-
chiamato sullo schermo, ho corretto una frase, aggiunto o tagliato
qualcosa, ma non riesco a chiuderlo.*

*Mi manca qualcosa, e non so cosa. Vorrei sapere la vera ra-
gione per cui Nina si è uccisa, o la vera ragione per cui Attilio
Radi ha scritto quel racconto o qualche altra vera ragione che mi
sfugge. Una sola cosa mi è chiara: il signor Bianchini ha potuto
nutrire un così incrollabile oltre che iperbolico amore nei confronti
di Nina perché il suo sentimento non è mai stato consumato dal-
l'uso e ha potuto vivere — e per quello che ne so ancora vive, dopo
la morte del suo oggetto — nella regione incontaminata delle ipotesi. Ma oltre a questo, che posso dire? Come riunire i fili in modo
significativo?*

*È per finire il racconto che oggi andrò a trovare Attilio Ra-
di; l'ora le sedici e trenta, la scusa un'intervista da scrittrice a
scrittore. Al telefono mi ha risposto la sorella che ha stabilito tutto
senza neppure consultarlo, segno che è lei a tenergli l'agenda degli
appuntamenti, e che probabilmente gli governa la casa consenten-
dogli di dedicare tutte le sue energie a scrivere senza doversi di-
sperdere in mille impegni deprimenti.*

*È sabato, il portone è chiuso. La voce che esce dal citofono è
quella di Attilio Radi. Mi dà le istruzioni per trovare il suo appartamento in fondo a un labirinto di cemento e cristallo; conclude
dicendo: «Le lascio la porta aperta, entri liberamente, perché sta
suonando il telefono e devo correre a rispondere».*

*Non c'è ingresso, la prima stanza è subito un ampio soggior-
no. Sento la voce di Radi che parla al di là di una porta aperta,
dal suo studio, forse. Dalle sue parole intuisco che all'altro capo
del telefono c'è una donna alla quale lui sta dando istruzioni circa
le dimensioni di un certo modulo continuo da computer che lei deve
portargli. Anche se sta parlando di un argomento pratico mi rendo conto che nella sua voce c'è quella mistura di intimità, aggressi-*

vità, tenerezza, scherzo, civetteria che caratterizza i rapporti tra uomo e donna durante la fase del corteggiamento. « Vieni subito, non far tardi », conclude.

Ho poco tempo, allora, per portarlo sull'argomento che mi interessa. Non credo che potrò interrogarlo liberamente su Nina e Paolo in presenza di una terza persona, meno che mai di una donna che gli piace.

Così lascio stare i preliminari e dico: « La prima cosa sua che ho letto, molti anni fa, è stato un racconto dal titolo La carezza di Dio ». Aggiungo, spudoratamente, che lo considero un'opera di insuperabile bellezza.

« Lei è molto gentile » dice, e mi rendo conto che l'ha bevuta senza sforzo.

« Se non mi sbaglio lei ha una casa di vacanze nei luoghi dove ha ambientato la storia, non è vero? »

« L'avevo », risponde. « Per un certo periodo ci andavo abbastanza spesso, poi mi è venuta a noia, e alla fine l'ho venduta. »

La mia mente lavora a ritmo febbrile. Il signor Bianchini, quando lo ho incontrato, non stava compiendo un lungo viaggio in più tappe. Aveva con sé solo una ventiquattrore, perciò la sua casa doveva essere a Pisa, dove è salito in treno o a Piacenza, dove ne è sceso; oppure nelle vicinanze di una di queste due città. Non mi sembra di ricordare che avesse l'accento emiliano: mi butto:

« Era nella campagna pisana, vero? Dalle parti di Collesalvetti, se non mi sbaglio... »

Mi guarda un po' stupito. « Niente affatto. Io odio la campagna. Era una casetta in riva al mare, a Marina di Pisa. Ora ne ho comprata una a Bocca di Magra, che è più vicino a Milano. Ma in verità vado poco anche lì. »

Chissà perché non avevo minimamente pensato a una località balneare. Avevo immaginato Nina, Paolo e il signor Bianchini in una piccola città dell'interno attraversata da un fiume; avevo visto la casa dei due sposi in una valletta tra le colline, ed era come se tutte queste cose, che avevo creato dal nulla, mi fossero state descritte dal mio compagno di viaggio. Mi domando quanti altri particolari che credevo di aver udito me li sono in realtà inventati.

« Ah, guarda. Marina di Pisa. E i personaggi che lei descrive esistono o sono frutto della sua immaginazione?» È una stupidissima domanda, e solo l'immensa vanità di Attilio Radi gli permette di non insospettirsi, di credere che sul serio io possa nutrire una così maniacale ammirazione per il suo vecchio racconto, tanto da volerne scandagliare tutti i più insignificanti dettagli. Mi sorride paternamente, e mi fa per un attimo l'onore di considerarmi una sua collega a pieno titolo.

«Lei sa meglio di me come vanno queste cose. Un po' ce le inventiamo e un po' le copiamo dalla realtà.»

È quello che avevo detto io al signor Bianchini, quando aveva attaccato discorso con me in treno dieci anni fa. Dette da Radi le parole mi sembrano insopportabilmente tronfie, e mi auguro di non essere mai stata in passato, e soprattutto di non diventare mai in futuro simile a lui.

«Sa più niente di loro? delle persone che le sono servite da modello, voglio dire?»

Ora comincia a essere un po' stupito. Mi guarda spalancando gli occhi. «Di loro? Be', no, naturalmente. Da quando ho venduto la casa non ho avuto più occasione... E la loro vita, anche quando andavo lì abbastanza spesso, si svolgeva in un ambito completamente diverso dal mio. I nostri erano incontri staccati dal tempo, non lasciavano segno al di fuori delle ore in cui si svolgevano, capisce.»

La porta di casa si apre ed entra una donna che dimostra quasi vent'anni meno di Attilio Radi. Richiude, si mette la chiave nella tasca della giacca. In mano porta un grosso pacco a forma di cubo. Prima ancora di salutare lo posa sul tavolo dicendo: «Eccoti il tuo modulo continuo. Non ce l'ha nessuno, di questo tipo. Ho dovuto girare non so quanto».

Radi la ringrazia e fa le presentazioni: «Mia sorella», dice. Dunque, quella con cui stava tubando al telefono quando io sono entrata in casa era la sorella. Un bel sentimento incestuoso, realizzato o meno, aleggia tra questi due zitelloni. Attilio Radi, con quella sua scrittura zuccherosa, con quel suo mondo poetico borghese, rangé, accomodato in una posa da dagherrotipo, è innamorato di sua sorella. Potrebbe essere uno spunto fantastico per un racconto: uno scrittore che avrebbe le qualità per scrivere un grande romanzo, ma non potrà mai farlo perché non sa risolversi a guardarsi nel fondo dell'anima senza ipocrisie. Me lo appunto mentalmente e me ne vado, convinta che quello sia l'unico risultato positivo della mia visita, a parte l'aver appreso il nome del luogo dove Nina è vissuta e morta.

Passo dalla Sip per guardare l'elenco telefonico di Marina di Pisa: i Bianchini sono moltissimi. Torno a casa e provo a chiamare il primo, Bianchini Alberto, ma mi rendo subito conto di quanto sia difficile chiedere a un tizio, anche se avessi la certezza che sia il mio signor Bianchini, se dieci anni prima ha per caso attaccato discorso in treno con una sconosciuta raccontandole una tragedia avvenuta nella sua città. Se poi penso che ci sono dieci probabilità contro una che si tratti di una persona diversa, il mio imbarazzo diventa insostenibile. Infatti sono così maldestra che Bianchini Alberto mi manda a quel paese dopo trenta secondi di conversazione.

Forse è più facile trovare invece Paolo, controllando sui registri dello Stato Civile le donne decedute il giorno dell'uscita del mortale racconto sul « Corriere della Sera ».

E quindi, se voglio finire il racconto bisogna che vada a Marina di Pisa.

Parto un lunedì mattina alle sette e alle undici sono già all'anagrafe a studiare la lista dei cittadini morti entro i confini del comune il 28 luglio di vent'anni fa. Prima di partire, ho controllato all'archivio del "Corriere" e ho trovato che il racconto era uscito in quella data; da quello che Bianchini mi aveva detto mi ero convinta che il suicidio era avvenuto il giorno stesso.

All'ultimo momento mi viene in mente che potrei forse, anche in questo caso, aver male interpretato le sue parole; e per sicurezza copio anche la lista dei decessi del 29. Le donne giovani morte in quei giorni risultano tre: Pucci Giovanna, Lami Ester e Graziani Maria Antonietta.

Copio gli indirizzi, sperando che le famiglie, dopo vent'anni non abbiano traslocato in un'altra strada, o peggio in un'altra città. Pucci Giovanna abitava in pieno centro e non in campagna, dove ho mentalmente ambientato la vicenda, ma il suo nome mi sembra il più adatto a dar luogo al diminutivo "Nina". Perciò comincio da lei.

È in una via deserta, con molte finestre sprangate, che sbocca sul mare, dove una scogliera artificiale tenta vanamente di impedire alle correnti di rosicchiare anno dopo anno la costa. La via, con la piazza che la origina e la rotonda sul mare che la conclude, sembra costruita, insieme a tutto il resto della città, nel corso di un sogno, che poi non si è realizzato. È la logica introduzione a una bianca distesa di sabbia festonata da garbati semicerchi di ombrelloni rosa e gialli, a un chiosco per la musica in funzione tutte le sere da giugno a settembre, a due o tre buone gelaterie, a una leggendaria pasticceria, a qualche piccolo locale elegante, a un bellissimo negozio di moda, a qualche botteghina falsamente modesta e carissima, al quotidiano passaggio lungo lo smerlo delle sedie a sdraio di qualche vecchietta con la cesta piena di centrini ricamati, magliette di cotone colorate o espadrillas a fiori.

Invece non c'è niente. La terra si interrompe all'improvviso, ed è separata dal mare, per tutta la lunghezza del centro abitato, da una ghirlanda di neri blocchi di cemento, simile a una linea difensiva militare.

Ci sono ancora alcuni segni di vita, pochissimi — qualche finestra non sprangata, qualche vecchio appoggiato al parapetto; ma il senso di sconfitta che sembra gravare sulla città mi convince che l'assedio del mare ha già avuto la meglio sulla terra, benché non sia ancora riuscito a strappare via tutte le case.

Quella dove ha abitato Pucci Giovanna è nata come pretenziosa villa di città, ornata di fregi in cemento, circondata da un giardino. Ora ha un aspetto scalcinato, l'aria che la circonda è scura, umida.

Il cognome sulla porta è Regoli. Suono.

Viene ad aprirmi una donna in ciabatte.

« Cercavo il signor Paolo Regoli » dico.

« Paolo? Mio marito si chiama Giuseppe. »

« Non abita qui il signor Paolo Regoli, vedovo di Pucci Giovanna? »

La donna sta già cominciando a richiudere la porta. « Il nome della prima moglie di mio marito era Pucci Giovanna, ma lui non si chiama Paolo. Non conosco nessun Paolo Regoli. »

« Vede, Nina Pucci era mia compagna di scuola, e io volevo... »

114

« *Giovanna, si chiamava. Non Nina. Lei confonde con* un'altra. »

« *Certo, Nina era solo un diminutivo.* »

« *Mai avuto diminutivi. Ero anch'io sua compagna di scuola, fino dalle elementari.* » *Mi guarda sospettosa.* « *Di lei, signora, non mi ricordo affatto, invece. Come ha detto che si chiama?* »

Borbotto il mio nome e aggiungo qualche vaga giustificazione alle mie domande. Non posso dire "sono qui per raccogliere elementi che mi consentano di scrivere un racconto su una donna che è morta a causa di un racconto". Devo agire in modo obliquo, infido. E il senso di colpa che provo si legge di sicuro sulla mia faccia, perché quella che vedo rispecchiata nell'espressione guardinga della seconda signora Regoli, è appunto la faccia di un'imbrogliona.

Scappo via.

Giovanna, Giovannina, Nina. Sembrava molto più probabile che Ester o Maria Antonietta, invece niente.

Lami Ester abitava a pochi isolati di distanza. Sulla porta il cognome è proprio Lami. Lami? Lami è il cognome di Ester da ragazza, perciò questa non è probabile che sia la casa dove viveva da sposata.

Suono ugualmente, visto che sono qui. Viene ad aprirmi un uomo di una cinquantina d'anni con l'aria malata. « *Abitava qui Ester Lami?* » *dico.*

« *Sì. Era mia sorella. Perché?* »

« *Io sono una parente di Paolo* », *azzardo.*

« *Paolo chi?* »

« *Paolo il marito di Ester.* »

« *Ester non era sposata. Lei la confonde con un'altra donna.* »

E due. Non sono neppure delusa, perché me lo aspettavo dopo aver letto il nome.

Mi rimetto in macchina, perché la casa di Graziani Maria Antonietta è un po' fuori dal paese. Quando ci arrivo ho la certezza di aver trovato quella giusta, perché tutto è come il signor Bianchini me lo aveva descritto, o come io lo avevo immaginato. C'è il frutteto, la pergola, la mansarda che Paolo aveva attrezzato perché Nina potesse dedicarsi alle sue smanie artistiche.

Parcheggio l'auto e mi avvicino incrociando le dita. Non mi fermo neppure a leggere la targa d'ottone, perché, anche ammesso che la casa non abbia cambiato proprietario, non mi aspetto certo che sul cancellino stia scritto Graziani, che è il cognome da ragazza di Nina. Qui lei viveva, sposa adorata, sotto il cognome — a me sconosciuto — di Paolo. Mi viene ad aprire una ragazza sui venticinque anni alta, bruna, statuaria, molto bella. Nina venti anni dopo; sicuramente la figlia.

« È in casa suo padre? » domando.

Guarda l'orologio. « Tornerà verso l'una. Ora è al cantiere. » Mi faccio indicare il cantiere e riparto. Ora che sono certa di aver trovato Paolo non so assolutamente cosa domandargli. Che tipo era Nina? Che rapporto aveva con Attilio Radi? Perché si è uccisa?

Mi fermo vicino al cantiere, decisa a dare un'occhiata a Paolo da lontano. Un operaio sta uscendo dal recinto su un furgoncino carico di ghiaia.

« Senta, scusi. »

« Dica. »

« Qual è il capo? Me lo può indicare? »

Si gira sul sedile e cerca con lo sguardo. « Guardi, è lì. Quello con il casco bianco. » Prima che io possa impedirglielo si sporge fuori dal finestrino e grida: « Oh Bianchini! c'è una signora per te. »

E infatti quello che mi viene incontro non è lo sconosciuto vedovo della bella e infelice Nina; è qualcuno che conosco e ricordo benissimo. Un po' più segnato sulla fronte e ai lati della bocca, ma ancora magro, ancora bello. E ancora gentile. Come già dieci anni fa, mi riconosce. Socievole come allora, mi sorride.

« La signora Francia! Lei non può ricordarsene, ma abbiamo viaggiato insieme sull'espresso 976, quando lei era alle prime armi. Oppure chissà, forse se ne rammenta. Ho attaccato discorso con lei, le ho raccontato un mucchio di cose. Mi fa piacere incontrarla ancora. Cosa posso fare per lei? Venga, si accomodi. »

Mentre mi indica un prefabbricato che serve evidentemente da ufficio, penso che i due amici, Paolo e il signor Bianchini, sono evidentemente soci nell'impresa di costruzioni; penso che mi è andata bene di aver trovato per primo quello dei due che conosco, e che si ricorda di me. Penso anche che è meglio non dirgli che sto scrivendo un racconto. Ma tutto questo si svolge nella mia mente nello spazio di un lampo e subito non serve più a niente, perché ora il signor Bianchini si volta per precedermi verso l'ufficio e contemporaneamente si toglie il casco.

Lo seguo con gli occhi fissi sulla sua bella testa ancora bruna e ricciuta, e mi rendo conto che ormai non ho più bisogno di fargli domande.

Posso senz'altro tornarmene a casa perché ora so come concludere la mia storia.

Dal mio posto potevo vedere il signor Bianchini che, prima di allontanarsi lungo il marciapiede della stazione di Piacenza, aiutava una signora anziana a salire per l'impervia scaletta del treno. Lei lo ringraziò, lui rispose sorridendo al suo saluto.

Poi si avviò verso l'uscita e allora balzai in piedi, lasciando cadere a terra la pelliccia comprata con i miei denari e abbassai febbrilmente il vetro per sporgermi fuori. In un lampo mi si ripresentò alla mente tutta la storia che avevo appena udita, e mi resi conto che avevo arbitrariamente integrato alcune omissioni, introducendo nella vicenda un personaggio che nella realtà non era mai esistito, formando un trio dove non c'era stato altro che uno struggente pas de deux.

E seppi che a Nina, lo meritasse o no, era stato offerto davvero un amore grande, nella sua breve vita. Uno solo, non due come avevo creduto, ma immenso, un amore di quelli di cui si scrive, un amore che dà senza chiedere, dimentico di sé. Un amore che non doveva la sua sopravvivenza al fatto di essere solamente un sogno irrealizzabile, al contrario. Aveva superato la prova del vivere e del convivere, della noia quotidiana, era passato intatto attraverso le nausee gravidiche, i cattivi umori mattutini, attraverso tutte le docce fredde sull'ardore dei sentimenti che vengono riservate ai mariti, ma risparmiate agli adoratori silenziosi.

Perché la vicenda non era come l'avevo intesa io, o per meglio dire, la vicenda era quella, ma il cast era diverso. Non c'era mai stato un secondo innamorato: il signor Bianchini non era mai esistito come terzo vertice del triangolo, e ora che la sua figura si sovrapponeva a quell'altra, tutto mi appariva più chiaro, più semplice e infinitamente più prezioso.

Pensai a tutto questo (e lo pensai con una fitta di invidia nel mio povero cuore indipendente) perché, mentre l'uomo si allontanava lungo il marciapiede, vidi che tra i suoi capelli neri, sulla nuca, proprio come se ci si fosse posato un raggio di luna, brillava una ciocca d'argento.

Il sesto racconto

Yulara, inverno 1989

Mi trovo a cinquecento chilometri da Alice Springs, e Alice Springs è, a sua volta, a migliaia di chilometri da qualunque posto. Attorno a me, a perdita d'occhio, un deserto rosso fuoco, piatto come un aeroporto, disseminato a intervalli regolari di grandi cespugli rotondi di un azzurro-grigio, più azzurro che grigio, incredibilmente vellutato. Tutto quello che vedo attorno a me ha la sottile inattendibilità delle immagini sognate poco prima del risveglio, quando la coscienza comincia a dare segno di vita e a dubitare. Anche le mie notti sono rischiarate da un cielo improbabile, dominato dalla Croce del Sud.

Mi hanno dato una bella stanza sul lato meridionale, che qui è il più ombroso, di questo grande agglomerato, rosso come il deserto che lo circonda. Non c'è nessuna vera abitazione, solo alberghi, ristoranti, piscine, giardini, snack-bars, bungalows, night clubs, negozi, sale da gioco. Vivendo qui dentro sembra di essere su una enorme nave da crociera che galleggia sulla sabbia. Qualche giorno fa ho sorvolato la zona andando verso nord: dall'aereo si vedevano solo i tetti bianchi, come un accampamento di tende beduine.

Sono sola. Sono arrivata in Australia da quattro settimane e rimarrò ancora per lo meno altre tre; ho con me il computer portatile, e la mia intenzione è di scrivere, proprio qui, un racconto d'amore a lieto fine, come regalo di fidanzamento per Eloisa.

Non voglio dire di aver fatto un interminabile viaggio fino in Australia per scrivere dieci pagine che si svolgono in un grande al-

bergo della Versilia, beninteso. Ma quando il mio aereo ha decollato dall'aeroporto di Darwin; e quando — dopo aver sorvolato la foresta pluviale — mi è apparso il deserto; e più ancora quando l'autobus, da Alice Springs, si è avventurato lungo quella pianura di fuoco e la prima iguana, lunga un metro e mezzo, ci ha attraversato la strada e ci siamo fermati per lasciarla passare, allora ho pensato a una piccola storia sentimentale, pulita e ottimista, da dedicare a Eloisa e a Stefano, che si sposeranno in autunno e anche a Nicola, per quando verrà il suo tempo. Il titolo sarà:

Il rosso e il bianco

«Al mattino dovrai portare su i vassoi per i clienti che fanno colazione a letto», ha detto il maître. Aveva un ammicco nello sguardo? Così mi è sembrato. Come se quell'incombenza facesse parte più dei vantaggi che delle fatiche di questo mio temporaneo mestiere.

Siamo in quattro, assunti di rincalzo per il pienone di mezza estate: due geometri disoccupati e un altro studente universitario come me. A tutti noi il facchino capo ha promesso esplicitamente straordinarie avventure amorose. «C'è una folla di signore sole che vengono apposta per questo» dice. «Un numero incredibile. Tanto che a volte rimane qualcosa anche per me.» E spalanca un grande sorriso su un unico dente.

Ma anche senza questi incoraggiamenti non avrei potuto fare a meno di fantasticare sulla signora del 202.

Ho notato i sandali fuori dalla porta mentre portavo su il mio primo vassoio, lunedì scorso, quando ho preso servizio: caffè nero e croissants per la coppia argentina del 215.

Misura trentasei, tacco altissimo, laccio alla caviglia, colore rosa carico, se ne stavano accostati con falsa modestia, a guardarmi mentre passavo. Sembravano messi lì come un richiamo, piuttosto che per essere puliti: come avrà fatto, il garzone, a far combaciare le sue grossolane spazzole con quelle impercettibili striscioline di pelle color confetto?

Dirò di più: sembrava che fossero stati appoggiati lì per mettere in moto la mia fantasia. Non so a chi sia toccato portare la colazione al 202; non a me, purtroppo, neppure una volta, nei primi tre giorni che ho trascorso come aiuto cameriere all'Hotel Continental.

Ogni mattina, passando per il mio servizio davanti a quella porta, ho visto un diverso paio di sandali: rosso e oro il secondo giorno, azzurro madreperlato ieri. Diversi ma uguali, beninteso: tutti conducono allo stesso ritratto di donna. Ormai sono certo che la riconoscerei, se la incontrassi, la cliente del 202: una signora sola, tanto per cominciare, perché la camera è singola.

È come se l'avessi già vista, se conoscessi non solo il suo aspetto, ma il suo carattere, le sue abitudini. Una nuvola di capelli neri, ricciuti, un viso a forma di cuore. La pelle deve essere bianchissima, delicata come un petalo di magnolia e altrettanto facile ad ammaccarsi. È piccola di statura, i seni pesanti si sfiorano uno contro l'altro. Tutto il corpo è più rotondo di quanto la moda prescriva, in contrasto con l'estrema fragilità dei polsi e delle caviglie.

Passa molto tempo in camera sua, ad ascoltare la radio e a darsi lo smalto — scarlatto — sulle unghie, che sono lunghissime. Da quando ha compiuto sedici anni ha sempre avuto qualcuno — marito o amante — che ha provveduto a lei. La lusinga, le bugie, i capricci sono i suoi strumenti di seduzione. È impulsiva, imprevedibile. Si lava poco, ma usa molto profumo. È ammalata di fegato, soffre di emicrania. Può passare intere giornate avvolta in una vestaglia bisunta, coi capelli sporchi e un vecchio maquillage sbaffato sul viso, ma non farebbe mai un passo in pubblico se non zampettando sui suoi tacchetti di otto centimetri. Non mi piace affatto, ma mi piace moltissimo. Il pensiero di lei mi rimescola in maniera incredibile.

Riuscirò mai a incontrarla? Toccherà finalmente a me portarle il vassoio? Perché è escluso che lei sia tra quei clienti che scendono a far colazione nella veranda, come è escluso che si alzi presto al mattino, faccia delle passeggiate, sappia usare un cacciavite.

Di notte, nella torrida baracca da terremotati che serve da alloggio a noi avventizi, l'immagine della signora del 202 e quella della mia Franca lottano per prendere il sopravvento nel lungo sogno che mi tiene compagnia da quando, a mezzanotte, stramazzo esausto, fino alla sveglia delle sette. L'odalisca bruna con i tacchi a spillo ha la meglio nella prima parte del mio sonno, la più greve, accaldata, torpida. Ma quando l'alba riesce a portare un soffio nuovo e fresco persino nell'afa stagnante della baracca, allora è Franca che riappare.

Sento, allora, il suono che produce la sua racchetta quando colpisce la palla di dritto proprio al centro delle corde: un suono pieno, gagliardo, prodotto da un gesto ben riuscito. Vedo la gamba dorata dal sole, il piede, nell'espadrilla azzurra, appoggiato sul pedale della bicicletta mentre aspettiamo, uno accanto all'altra, che il semaforo torni al verde. Vedo il sorriso, largo e schietto, gli occhi nocciola, scintillanti di ironia.

Franca non è né alta né bassa, né magra né grassa, né bruna né bionda. Nel suo bel corpo sano e sodo non c'è nulla che ecceda, in nessun senso, fino a diventare un impaccio, un impegno. Non dice bugie. Non ha paura dei topi. Non fuma. Non è mai in ritardo.

Franca è bella — o forse no. La virtù, di cui non conosco il nome, che sottolinea la bellezza di Franca, o forse la sostituisce, è una specie di amichevole, disinvolto accordo tra le sue parti — lineamenti, membra, colori, carattere, cuore, testa. La sua è la grazia armoniosa di una splendida gazzella: elastica, dorata, naturale. Ed è qualcosa che non la tradisce mai. Franca è bella a modo suo, ma lo è sempre: quando si sveglia al mattino, o dopo una giornata sui libri a preparare un esame, o mentre esce dalla doccia, con i capelli bagnati e il sapone negli occhi. E lo sarà fra vent'anni, o trenta, o quaranta.

L'immagine di Franca entra nei miei sogni all'alba e rimane a farmi compagnia mentre mi alzo, mi lavo, indosso la livrea. Ma già sul sentiero orlato di pittosforo che mi conduce alle cucine dell'albergo, comincia a impallidire. Al primo vassoio che porto su ai piani sparisce del tutto, anche oggi, come ogni giorno da che sono qui, mentre l'altra prende il suo posto.

Allora dimentico Franca, direi che dimentico me stesso, se sapessi quale dei due sono io.

Sui risvolti di copertina dei miei libri, o nelle recensioni, si parla continuamente di viaggi alla ricerca di se stessi. Francesco va in cerca di sé, Veronica va in cerca di sé, e quando non c'è un viaggio c'è comunque un percorso e il traguardo finale è sempre questo beato ritrovamento di sé. Ora anche questo cameriere-studente, a leggere così come sta scritto, pare che vada in cerca di se stesso. Sarà poi vero? È possibile che io scriva della roba che mi assomiglia così poco?

Io, signori, continuo a portarmi a sperdere, altro che andare in cerca di me. Come il perfido padre di Pollicino, mi prendo per mano, mi porto nel bosco, mi metto a sedere sotto un albero, mi dico "stai qui buona che torno tra un minuto" e scappo via senza più voltarmi. Anzi, ce le porto tutte, a sperdere le Pollicine: Maria Teodora, Teodora, Mitzi e Tittì Garrone; Maria Teodora, Teodora, Mitzi e Tittì Francia, accompagnate dalle giovani signore Ripoli (Maria Teodora, Teodora, Mitzi e Tittì), sposine fresche e studentesse di giurisprudenza presso l'università di Pisa.

Quando ho scritto il mio primo racconto, quello dell'avvocato Righetta, rimasto inedito per quasi trent'anni, ho compiuto, un po' inconsapevolmente, la prima dolorosa e indispensabile opera-

zione. Sono andata in cerca del poeta che era dentro di me, l'ho indotto a mostrarsi e zac! l'ho steso secco.

Ma non basta farlo una volta per tutte: ci vogliono i richiami, come per l'antitetanica. E il trattamento deve essere alternato con l'altro — analogo ma non identico — consistente nel periodico allontanamento delle Pollicine.

Questa manovra dell'Australia dovrebbe tenermi alla larga per un bel pezzo, prima che la mia cosiddetta anima ritrovi la strada di casa. Qui pare infatti che l'acqua esca dallo scarico del lavandino girando all'incontrario rispetto a come gira nel mio emisfero natìo: cosa può esserci di più estraniante che vivere per due mesi in un posto del genere?

Mi dispiace non aver saputo la storia del lavandino prima di partire, altrimenti potevo fare il confronto e controllare ogni sera l'inoppugnabile scientificità del mio totale allontanamento da me stessa.

Ma va già bene anche così. Sono dispostissima a credere che la storia sia vera. Ogni tanto faccio scorrere l'acqua, l'osservo fiduciosa, e l'ineffabile senso di alienazione che ho ritrovato e che cresce ogni giorno mi consente di procedere con una certa scioltezza lungo la storia di questo piccolo turbamento estivo.

Gli argentini del 215 sono di nuovo i più mattinieri. Esco dall'ascensore di servizio con il loro vassoio, giro l'angolo del corridoio ed eccoli lì, i sandali, fuori dalla porta del 202.

Stavolta sono bianchi, con una rosellina di velluto rosso proprio all'attaccatura delle dita.

La colazione viene servita in camera dalle sette alle undici: sono sicuro che la signora del 202 non la chiederà prima delle dieci; è perciò durante l'ultima ora che devo stare all'erta, se voglio essere finalmente io a portarle il vassoio.

Negli intervalli tra una chiamata e l'altra dobbiamo pulire i saloni, apparecchiare, servire — in veranda — i clienti che preferiscono scendere per fare colazione. Eseguo quanto devo con il massimo scrupolo.

Alle nove e trenta esatte comincio a trafficare nelle vicinanze del secondo cuoco, che è incaricato di preparare, e consegnare ai camerieri, i vassoi per le colazioni ai piani. Tendo l'orecchio al telefono del room service. Devo fare attenzione in modo da essere io il più a portata di mano quando arriverà la chiamata. Lucido la stessa maniglia fino a quando brilla come se fosse d'oro zecchino, e intanto passano le dieci, le dieci e un quarto, le dieci e mezza.

Cambio maniglia, rimanendo sempre nei paraggi. Le dieci e tre quarti. Che si sia svegliata presto, per una volta? Che uno dei miei colleghi abbia preso la chiamata, prima delle nove e mezza? Strofino con tutte le mie forze, come se il destino potesse venir favorevolmente influenzato dalla lucentezza di quell'ottone.

La chiamata arriva alle undici e un minuto. Mi avvicino al banco di cucina appena il vassoio è pronto: thé al limone con biscottini di pastafrolla. Sul tovagliolo candido il secondo cuoco ha appoggiato un bocciolo di rosa rossa. «Vai», mi dice «porta questo al 202.»

Ho lasciato lievitare il lavoro per un giorno e sono stata in autobus a vedere le Olgas, un agglomerato di giganteschi massi globosi, rossi al pari di tutto il resto, come un grappolo di smisurate bolle di lava incandescente contro il cielo azzurrissimo. Qui nessuno sembra darsi pensiero delle mosche, che sono cordialmente accolte nel generale e forse un po' nevrotico rispetto per la natura. I miei compagni di escursione marciavano imperturbabili, mentre io mi sono arrampicata solo per pochi metri. Poi ho dovuto scappare, inseguita dal pestilenziale nugolo, cercando rifugio nell'autobus: aria condizionata, vetri sigillati; mosche — con tutto il dovuto rispetto — fuori.

Il conducente, rosso di pelo anche lui come il deserto, shorts cachi, ventidue anni, figura atletica, mi ha offerto una birra e mi ha chiesto — il mondo è davvero piccolo — di firmargli una copia di The Germanist, *edizioni Flamingo, che teneva nel cru-*

scotto. La mia foto, sul retro, è abbastanza riconoscibile, a quanto pare.

È di origine irlandese, si chiama Patrick e studia all'università di Adelaide. Durante le vacanze guida l'autobus nel deserto; l'anno scorso era al Kakadu Park, al nord, su un battello che portava i turisti a risalire il fiume in mezzo ai coccodrilli.

Stasera mi porterà le sue poesie e io penso di invitarlo a cena in uno dei ristoranti qui attorno. È più giovane di Nicola, e anche di Eloisa, e già deve dare prova di tanto spirito di sacrificio per seguire la sua vocazione. Stanotte l'ho sognato: era al timone di uno di quegli sgangherati battelli che ho avuto modo di frequentare sui corsi d'acqua del Northern Territory; c'era la solita targhetta, che, a scanso di responsabilità, viene applicata su ogni jeep, vaporetto, barca: "all limbs should be kept within the vehicle": "tutti gli arti dovrebbero essere tenuti dentro al veicolo".

L'acqua, a conferma della saggezza di quella raccomandazione, brulicava di coccodrilli, e Patrick li teneva a bada con un remo da gondoliere.

Stamattina ho nuotato in piscina e ora mi sono rimessa a lavorare, in attesa dell'ora di cena. Continuo a raccontare la storia dedicata a Nicola, a Stefano e a Eloisa, ma ho fatto un po' di posto nei miei pensieri anche per Patrick.

Il cielo è diventato rosso come il deserto. Faccio una doccia, metto un vestito che mi sta bene e mi avvio lungo il vialetto lastricato di rosso. Patrick mi viene incontro; si è messo i pantaloni lunghi e i capelli fiammeggiano.

« Prima che il sole vada giù del tutto, la porto » [o ti porto? parliamo inglese, e non si può sapere quale sia la sfumatura di quel you] « ti porto [o la porto] a vedere il sole che tramonta su Ayers Rock. »

Saliamo su una jeep e ci lanciamo a rotta di collo lungo una pista sabbiosa, sollevando una nuvola rossa. Arriviamo appena in tempo. È il momento cruciale. Il magico monolito, così simile al deserto, perché identico di colore, eppure estraneo come fosse sceso dal cielo — un gigantesco parallelepipedo posato sulla sconfinata piattezza del terreno — improvvisamente centuplica per la durata di un minuto il suo colore in una accecante vampata. Il silenzio

*è squassato da un suono immenso, che le orecchie umane non posso-
no percepire e che pure invade l'aria, si sente sulla pelle, penetra
nei pensieri; come se ciclopiche lastre di rame si abbattessero una
sull'altra.*

*Subito scende la notte, si accendono stelle sconosciute. Ora
siamo seduti uno di fronte all'altra a un tavolino del Chez Pierre.
Il vino è buono, il cibo — raffinato e presentato con grande ele-
ganza — risveglia ancora in me l'immagine della nave da crociera, perché tutto quanto, dal medaglione di aragosta al frutto della
passione flambé, ha lo stesso sapore di frigorifero che aveva sulla
motonave Victoria dove ho fatto il mio viaggio di nozze con Carlo
Ripoli. Non so come funzionino qui i rifornimenti; certo i generi
alimentari arrivano già un po' imbalsamati, dal momento che,
nella rossa distesa che ci circonda, non c'è nulla di vivente per migliaia di chilometri, a parte le iguane, i cespugli grigio-azzurri e
qualche marsupiale minore di facile contentatura.*

*Eppure gli aborigeni vivono attorno ad Ayers Rock, e sparsi
qua e là a gruppetti per il deserto, a conferma che l'uomo è davvero un animale prodigiosamente adattabile.*

*Come Patrick, per esempio, e tutti gli altri irlandesi, scozze-
si, inglesi che ho incontrato venendo su da Adelaide, lungo la bar-
riera corallina e poi giù da Darwin fino al cuore rosso del conti-
nente. Alti, chiari, lentigginosi, trapiantati da pochissimo tempo
— duecento anni al massimo — in un mondo capovolto, torrido e
tempestoso, abitato da animali fiabeschi, illuminato da stelle
estranee, con l'acqua che esce dal lavandino alla rovescia: è gente
che poggia i suoi stivali su questa terra antipodale con una strana
mescolanza di familiarità e di perpetuo, inestinguibile stupore.
Hanno preso per loro emblemi la Croce del Sud e il canguro, i
simboli di una diversità che non dimenticano mai.*

*Il locale è semibuio, c'è un sottofondo musicale (Schubert, il
quintetto della trota), il tavolo è appena rischiarato dalla luce di
una candela. Dopo cena usciamo ancora con la jeep, allontanando-
ci di un paio di chilometri. Ora il cielo, sopra di noi, è una cupola
perfetta, e l'orizzonte un cerchio ininterrotto, come fossimo in mezzo al mare. Continuiamo a parlare di letteratura come abbiamo*

127

fatto fino dall'inizio, sull'autobus parcheggiato ai piedi delle Olgas.

Non ci vuole molto a classificare Patrick in alcune categorie:
1) ragazzo povero con una sconfinata passione per la poesia;
2) personaggio coraggioso, avventuroso, una specie di Jack London;
3) mammarolo cronico, incline a interessarsi a donne più vecchie di lui.

Quello che sfugge alle classificazioni è la sua naturalezza, il candore, l'allegria, il senso dell'umorismo.

È anche molto timido, e non mi è difficile impedirgli di passare — dopo un primo bacio amichevole e un secondo più intimo — alla terza fase. Perché poi? Quale verginità voglio preservare?

In ogni caso ci salutiamo sulla porta.

« Verrai ancora a cena con me », dice, « anche se io dovrò invitarti in un posto economico? ».

« Certo. »

« Va bene domani alla stessa ora? »

Decidiamo che va bene. Che ci vedremo sulla terrazza del Kangaroo club.

Ora è il mattino dopo, e la storia che sto scrivendo mi è diventata davvero estranea, come volevo che fosse. Vedo il mio studente-cameriere con il suo vassoio in mano — thé al limone, biscottini e rosa rossa — piccolissimo, e per di più capovolto.

Perché la rosa? Sarà lei che ogni mattina, assieme alla colazione, ordina anche un fiore? O sarà un omaggio speciale dei forzati di cucina? È una mia idea, o gli altri avventizi mi seguono con uno sguardo complice mentre entro nell'ascensore di servizio per portare al secondo piano l'ultima colazione della mattinata?

I sandali sono ancora lì, davanti alla porta del 202. Busso.

« Avanti », dice la voce della signora.

Ho imparato come si può, per un attimo, reggere il vassoio con una sola mano, mentre con l'altra si gira il pomello; come si entra di traverso, spingendo la porta

128

con la schiena. Ora sono nel piccolo corridoio su cui si aprono il bagno e gli armadi a muro.

Le finestre sono chiuse. Lo scorcio di camera che posso vedere dalla mia posizione è illuminato dalla luce elettrica: un mucchio di abiti colorati gettati alla rinfusa su una poltrona; il reggiseno nero che pende immobile nell'aria calda e dolce, appeso per una spallina allo schienale di una sedia è un'insegna che promette tutte le delizie proibite dell'oriente e dell'occidente.

So anche come, senza bisogno di voltarsi, si può richiudere la porta con un piede, accompagnandola dolcemente. L'ho fatto più volte ogni mattina, in questi giorni, senza sbagliare.

Perciò sollevo il piede, e mentre sto in bilico sull'altro, sento che mi trovo sospeso su una soglia fatale. Non quella che materialmente ho già varcato, tra il corridoio e la stanza 202. Lungo quella via proseguirò in ogni caso, entrando nella camera, appoggiando il vassoio sulle ginocchia della signora, aprendo la finestra se lei me lo chiederà. Ma se mi spingerò oltre l'altra soglia, quella su cui devo decidere ora, subito, scoprirò un mondo sconosciuto, e soprattutto un me stesso di cui non sospettavo l'esistenza. Un me stesso che mi attira irresistibilmente e che forse non mi piace. E che non potrò più dimenticare dopo averlo incontrato. Ecco perché la tentazione di proseguire e quella di fermarmi sono ugualmente forti.

So, l'ho fatto più volte, come si richiude dolcemente la porta con un piede, eppure proprio oggi prendo male le misure. Strano, perché il movimento è lo stesso di sempre, tanto da convincermi che è stato un rimasuglio di quell'aria fresca dell'alba, che mi ha accarezzato mentre sognavo Franca, a produrre, insinuandosi in quella stanza soffocante, una specie di risucchio. Fatto sta che la porta scappa al mio controllo e si avvia inevitabilmente a sbattere. Per una frazione di secondo continuo a rimanere in bilico anch'io, poi il mio olfatto, risvegliato dal profumo della piccola corrente pulita, riesce a discernere, nella lenta ondata d'aria spessa che mi viene incontro dalla stanza, l'odore grasso e rancido dei cosmetici, il tanfo di cicche e di sudore.

La frazione di secondo si è consumata, la porta che non sono riuscito a controllare, ha terminato la sua corsa e sbatte. Pahh! Un suono rotondo, deciso. Definitivo. Il suggello di una vittoria, come quando il braccio dorato si alza in un gesto ampio, sicuro, e colpisce la palla proprio col centro della racchetta.

Un colpo ben riuscito. Uno smash vincente, lo chiamano i commentatori sportivi: infatti la partita è finita, Franca ha vinto. Io ho vinto.

È l'una di notte. Il racconto augurale per Eloisa è finito. La mia avventura con Patrick anche, perché domani partirò alla volta di Sydney, con qualche giorno di anticipo sul mio programma.

Quando mi sono ancora una volta svincolata dalle sue braccia e l'ho spinto gentilmente fuori dalla porta del mio bungalow, ha chiesto: «Ma perché no?». Perché no, appunto? Non lo so, non ho voglia di pensarci. È tardi, vado a dormire. Sogno che devo telefonare un articolo sugli Australiani, ma il ricevitore è morbido e tende a perdere la sua forma. Lo accomodo in una piccola culla e mi ci chino sopra, come per una ninnananna. «Qui sono coraggiosi» canto: «hai più paura tu» [e non so chi sia "tu"] «di bagnarti le scarpe, che uno di questi cafoni di farsi mangiare una gamba da un coccodrillo.»

Solo a metà dell'interminabile volo per Sidney capisco chi è quel tu. È quella che ha smesso di fumare, di bere superalcolici, di sposarsi, di innamorarsi, di assumere grassi animali, fritti e insaccati; che dorme con la finestra aperta, fa footing, ginnastica, nonché il Pap-test annuale; che offre l'amicizia con il contagocce e l'amore materno sotto forma di invito alla prudenza.

Ma chi vuoi incantare, Maria Teodora - Teodora - Mitzi - Tittì o come accidenti ti chiami? Quale futuro immagini per Franca e il suo fidanzato — o per i tuoi figli e i loro amori —

casetta civettuola, incantevoli bambini e ogni mattina la scelta tra le due alternative condanne: consapevolezza della tragica delusione quotidiana da una parte o placida stupidità dall'altra? Che razza di bestiale arroganza è la tua, per augurare maternamente a quelli che ami qualcosa che a te farebbe orrore? Maria Teodora, Teodora, Mitzi, Tittì: fatemi il piacere.

Sono passate altre tre settimane. È l'alba, il mio aereo sta sorvolando le Alpi, candide e bellissime, visibili dalla Provenza alla Jugoslavia.

Il settimo racconto

Milano, autunno 1989

Il settimo racconto è autobiografico e non ha titolo. Potrebbe anche essere scritto in corsivo.

La vicenda comincia nel punto dove ho terminato l'ultima stesura della *Carezza di Dio* e ho dato alla macchina l'ordine di stampare.

Sono uscita sul terrazzo e mi sono seduta su una poltrona a sdraio posta a metà strada tra il crepitio della stampante, proveniente dallo studio, e il canto dei merli, che saliva dal terrazzo della signora Imposimato. Cullata dall'effetto stereofonico ho ripensato alle notti invernali sul treno della Cisa, agli arrivi nella Stazione Garibaldi deserta, all'attesa del taxi, alla consolazione di arrivare finalmente nella soffitta di Mina.

Mina è toscana come me ed è stata mia compagna all'università: è stata, per meglio dire, la mia unica compagna di università. Io, già da matricola, ero sposata con Carlo e aspettavo Nicola. Il bambino è nato in agosto, a metà strada tra Diritto Romano e Istituzioni di Diritto Romano. In seguito avevo un bambino piccolo e poco tempo da perdere. Così non frequentavo molto le lezioni e meno che mai partecipavo agli impercettibili movimenti studenteschi o alla intensa vita goliardica di quegli anni. Ero un'estranea che andava a dare gli esami in un posto dove tutti mi erano estranei e tutti si conoscevano tra di loro.

Mina, che aveva un paio d'anni più di me e faceva parte in pieno di quel mondo, era il mio punto di contatto perché abitava vicino a casa mia. Il pomeriggio, rientrando da Pisa mi veniva a trovare, con le dispense e gli appunti nella borsona a tracolla; prendeva in braccio Nicola, lo cambiava, gli faceva il bagnetto. Si sedeva con me in salotto e insieme prendevamo il thé con i pasticcini. Eravamo due ragazzine che giocavano: io permettevo a lei di giocare alle signore, lei mi portava le immagini di un'età alla quale avevo rinunciato.

L'ho persa di vista solo molti anni dopo, quando vivevo già con Marco.

Lei aveva sposato un vedovo milanese con due figli grandi e lo aveva seguito a Milano. Ci scrivevamo un paio di volte l'anno ma non ci siamo riviste se non dopo essere rimaste tutte e due scompagnate: lei vedova e senza un soldo, io separata e con qualche modesta agiatezza.

È stato suo il consiglio di trasferirmi a Milano, e per molti mesi, durante il mio pendolarismo di transizione, è stata la sua casa che mi ha ospitato per tre o quattro giorni alla settimana. Avevo la chiave e andavo e venivo a tutte le ore, cercando un appartamento prima, sorvegliando i lavori di riparazione poi. Facevo io la spesa, nel tentativo di ricambiare la sua generosità. Lei cucinava dei pranzi raffinatissimi, e spesso invitavamo amici in quella sua stamberga scomoda e piena di fascino.

Mi è quasi dispiaciuto, quando ho potuto prendere possesso della mia casa; ma allo stesso tempo ero anche felice di poter trasferire a Milano i ragazzi.

Avevo trovato un bell'appartamento, che è lo stesso dove vivo ancora, di fronte alle colonne di San Lorenzo. Ogni mattina aprivo la finestra e mi dicevo: "ecco, questa è la finestra della mia casa, io la spalanco e fuori c'è Milano. Ora andrò a svegliare i ragazzi e loro berranno il latte della Centrale di Milano, usciranno in corso di Porta Ticinese, cammineranno fino al Carrobbio e lì prenderanno un tram — un tram dell'Azienda Tranviaria Milanese — che li porterà alla loro università, l'università statale di Milano". Me lo dicevo con inesauribile fierezza, anche se non avrei saputo dire perché il fatto di aver portato i miei figli, le mie cose, la mia vita a Milano avesse per me un così profondo significato.

Milano mi ha ricompensato della mia devozione permettendomi di lavorare con qualche buon risultato, offrendomi qualche storia d'amore, tante conoscenze e poche amicizie. Perché a Milano l'amicizia è un impegno strenuo a cui è necessario dedicarsi senza mai distrarsi un attimo, per non correre il rischio di perdersi nel vortice e subito essere dimenticati o dimenticare: e io forse non sono capace di sentimenti strenui.

Con Mina era diverso: sapevo che avremmo potuto perderci di vista per lungo tempo — come del resto era già accaduto — senza dimenticarci.

E accadde ancora, infatti, ogni volta che io mi ingolfavo nelle mie storie d'amore così assurdamente coniugali, con Giovanni — prima — poi Bruno e poi ancora Paolo istallati in casa mia a fingere sentimenti paterni nei confronti dei miei figli, e io con la penna della scrittrice in una mano e il mestolo della massaia nell'altra a cercar di ricreare una commediola, un presepe di cartone a cui nessuno credeva.

Allora i rapporti con Mina si allentavano, e riprendevano in pieno solo quando rientravo nei miei brevi periodi di solitudine.

Come ogni rapporto umano il nostro aveva una sua ragion d'essere istintiva, sentimentale e una legge che ne regolava il funzionamento. La base sentimentale era una autentica, profonda amicizia; la mirabile complementarità delle nostre due situazioni stabiliva la legge del nostro patto, e non occorreva aggiungere altro.

Mina precocemente e non brillantemente pensionata; io occupatissima e in condizioni economiche di anno in anno più soddisfacenti, Mina bravissima cuoca, massaia ordinata, efficiente, estroversa; facile ai contatti umani. Io disordinata, bisbetica, timidissima.

La invitavo a cena: lei arrivava con un paio d'ore di anticipo e in un baleno raddrizzava magicamente la mia casa. Sbrinava il frigo, portava via — per il suo gatto — gli avanzi non più utilizzabili; smistava la posta, gettandone una gran parte nella spazzatura e obbligandomi a rispondere quando era indispensabile. Cambiava il filtro alla friggitrice. Sostituiva le lampadine fulminate, portava in lavanderia le tende.

Io mi abbandonavo alla sua efficienza con commossa gratitudine: naturalmente non le ho mai dato uno stipendio, però le facevo dei regali, la portavo con me in vacanza, le procuravo qualche lavoro saltuario, traduzioni per lo più.

Proprio nei giorni in cui avevo completato l'ultima stesura della *Carezza di Dio*, Mina aveva ricevuto lo sfratto dal suo padrone di casa. Avrebbe potuto, naturalmente, resistere per anni; ma, mentre sedevo in terrazzo tra il crepitare della stampante e il canto dei merli, mi dissi che la cosa più logica sarebbe stata che Mina venisse a stare con me.

Non fingo neppure con me stessa di aver pensato solo al suo vantaggio: e perché poi? Quello che mi spinse fu il bisogno, che già sentivo da un pezzo, di aver qualcuno che si prendesse cura di me, non esito a confessarlo. Il racconto, che si stava scrivendo da solo, srotolandosi sul modulo continuo, diceva: "un disperato bisogno di debolezza". Era quello, per l'appunto. Cercavo il miracoloso ritorno all'infanzia a cui tutti, prima o poi anelano; ancor più miracoloso nel caso mio che non avevo mai conosciuto nulla di simile a un'infanzia da rimpiangere, essendo stata tirata su con efficienza ma non certo con amore; più come un Lipizzano da addestrare che altro.

136

Doveva essere un ritorno a un'età dorata altrui, spiata dalla fessura di una finestra, invidiata. E poiché, dopo una serie di matrimoni sbagliati — regolari e non — mi ero convinta che amore e convivenza quotidiana non si potevano mescolare, volevo un rapporto amichevole, affettuoso, leale, e del tutto esente da coloriture erotiche. In teoria avrei potuto immaginarlo anche con un uomo, ma solo in teoria. Sapevo bene che, fino a quando rimarremo in questo secolo, bisognerà accettare il fatto che solo le donne sanno rassegnarsi a recitare con grazia la parte di spalla. E quindi volevo una moglie, in sostanza, ma senza implicazioni amorose. Una moglie un po' più vecchia di me, materna, coccolona.

Con Mina sembrava tutto così chiaro e leale, illuminato e benedetto dal sentimento eterno che è l'amicizia, senza essere turbato dalle passioni traditrici dell'eros. La sua sarebbe stata una presenza capace di proteggermi dalla mia insana inclinazione per il matrimonio, rendendolo, oltre che inutile, anche impraticabile. L'ampiezza della mia casa avrebbe consentito sia a me che a Mina di fare i nostri comodi senza disturbarci, ma, prima di soccombere alla tentazione di istallare stabilmente un altro cialtrone nella mia vita, sarei stata costretta a una serie di manovre di ordine logistico, che mi avrebbero dato il tempo di cambiare idea.

La chiamai subito, prima ancora che la macchina avesse finito di stampare, e le feci la mia proposta per telefono.

Vendette tutti i suoi mobili, parte al padrone di casa, parte ai figli del suo defunto marito. Un rigattiere trovato tra gli annunci di "Secondamano", oltre a darle qualche biglietto da centomila in cambio di quello che nessuno aveva voluto, accettò di aiutarci a trasportare gli oggetti che lei non vendeva — i vestiti, le lenzuola e poche altre cose — fino al mio terzo piano senza ascensore.

Avevo cinque chiavi, per la mia porta: per me, per Nicola, per Eloisa, per la donna a ore, per la cassetta di sicurezza della banca, dove ne conservo sempre una, non si sa mai. Uno dei miei incubi, un orribile sogno ricorrente, è proprio quello di non poter rientrare in casa mia. Ho voluto una di quelle porte che non si possono chiudere a scatto, cosicché non è possibile uscire dimenticando di prendere la chiave.

Ne ho fatto fare una sesta per Mina: ci ho messo un anello di plastica rossa — la mia lo ha verde; il posto di tutte e due, la mia e la sua, è nella vaschetta di opalina sulla console dell'ingresso.

La prima sera che lei ha dormito da me abbiamo brindato con lo spumante e siamo state su a parlare fino al mattino.

Poi non so. Forse sono stata punita per aver voluto una cosa che non esiste. È stato un peccato di superbia cercare di sfuggire a una delle leggi fondamentali che governano i rapporti umani. Una moglie ora lo capisco, si può solo amare o odiare. E un'amica non è una moglie, una moglie non è una mamma, una mamma non è una dipendente, una dipendente non ha sentimenti amichevoli. O magari queste figure meticce esistono in natura, ma nascono per caso, o forse bisogna meritarsele. Certo non si può dosare il cocktail dal di fuori, mettendoci dentro gli ingredienti nelle giuste dosi per ottenere una specie di Mary Poppins superefficiente con in più un ampio seno materno, senso dell'umorismo e discrezione.

In breve: la prima volta che siamo uscite di casa insieme io ho aperto la porta, lei è uscita sul pianerottolo. Ho preso la chiave con l'anello verde; quella con l'anello rosso è rimasta nella vaschetta di opalina sulla console. Sono uscita anch'io e ho chiuso la porta. Quando siamo rientrate ho tirato fuori la chiave dalla borsa, ho aperto.

Le altre volte è stato sempre così. A un certo punto la chiave con l'anello rosso è addirittura sparita dalla vaschetta. Sta nella borsa di Mina, e le serve per andare e venire quando io non ci sono. Altrimenti, se usciamo insieme sono io che chiudo e riapro. Se esce lei da sola mentre io rimango in casa, non chiude uscendo e non apre rientrando: suona il campanello se, per prudenza, mi sono rinchiusa dentro.

Non le ho mai detto niente, a proposito della chiave, perché so bene che i miei sono pensieri ai quali non si può dare voce senza che suonino maniacali. E io non desidero apparire maniaca, perché non lo sono.

Se poi non le ho mai detto niente neppure di altre cose, molto più gravi, di una gravità manifestamente obiettiva, è perché queste si sono insinuate nella nostra vita e consolidate, assumendo valore di precedente legale e di consuetudine irrinunciabile, con una così impercettibile e strisciante gradualità da impedirmi di individuare il momento giusto per sollevare l'obiezione, il punto dove la linea forma spigolo e le cose, da bene che andavano, cominciano ad andare male.

E così tutto è andato storto, e adesso è come se avessi in casa un animale immerso in una condizione semiletargica. Dorme molte ore, mangia, fa solitari, legge romanzi vibranti di enfasi ideologica, carichi di messaggi perentori; oppure polpettoni che nobilitano con l'ambientazione storica le solite vecchie vicende di belle fanciulle perseguitate dalla sorte. Qualche volta la carico sull'auto per portarla fuori. Se è Mina l'ultima a uscire di casa devo sempre tornare indietro a spegnere la luce perché lei non fa neppure quello. Ho già detto, mi pare, che sono io a prendere la chiave dalla vaschetta sulla console, e a metterla in borsa dopo aver chiuso la porta. Sono io che cucino, la sera quando la colf se ne è andata, o che mi ricordo di comprare qualcosa in rosticceria. Sono io che stacco il gas quando andiamo via per qualche giorno; lei non sa neppure dove sia la chiavetta.

A volte litighiamo, ma la lite è sempre spostata di qualche decimo di millimetro dal suo vero punto. A volte, senza litigare, anzi prendendola come interlocutrice per una opinione di carattere generale nella quale si suppone che lei sia d'accordo con me, le faccio dei discorsi che sono invece centratissimi ma indiretti, affinché lei capisca senza che io debba parlare esplicitamente. Ma so che non c'è niente da fare.

Non riuscirò mai a sbloccare la sua proterva inadempienza ai taciti patti del nostro convivere, a vincere il suo ostinato rifiuto verso l'attività: in lei non risveglierò mai più, per quanto io mi agiti, impulso creativo, senso del dovere, umana pietà verso di me, che lavoro come una schiava. Io sono un granellino di sabbia entrato in una grande ostrica mucillaginosa; e l'ostrica, dopo avermi neutralizzato incapsulandomi, strato dopo strato, in una perla di amicizia, di vera, indubitabile, affettuosissima amicizia, si è messa subito a dormire. Ora non mi sente più. Posso insultarla, ignorarla, supplicarla; non succede niente. Ha sviluppato, nei miei confronti, una sordità e una cecità totali.

Badate che lei sente il caldo, il freddo, la fame, il sonno; e anche lo sdegno per certi avvenimenti della politica, l'ammirazione per certi personaggi pubblici, l'interesse per la musica o per la filosofia, come no. Solo quello che nasce da me risulta puntualmente incapace di provocare in lei la minima reazione. Neppure la parte più brutalmente materiale dei miei messaggi — e cioè i conti che pago per lei — la interessa più che tanto. Mina non ha gusti dispendiosi e l'unico suo vizio, oltre al fumo, è dormire, che non costa niente. E non gliene importa nulla dei viaggi e delle vacanze che le offro, portandola in giro per il mondo in alberghi pieni di stellette. Starebbe più volentieri a casa, anzi, sta più volentieri a casa, giacché ormai ho smesso di proporle di accompagnarmi e ho ricominciato ad andarmene in giro da sola.

Il racconto non ha una morale e neppure una conclusione. Finisce ieri, ieri sera a cena.

Mina teneva i gomiti appoggiati al tavolo e il mento sulle mani intrecciate. «Io non lo farei» ha detto. «Diranno che hai finito la benzina. Diranno che non te la senti di confrontarti con il tuo stesso successo.»

Come tutto quello che proviene da Mina, anche questo suonava male. Lei ha il gusto di dirmi le cose nella forma peggiore. Come se ci fosse sempre un'intenzione ostile, stavo per dire, ma questo è sicuramente esagerato. Come se fosse a conoscenza di una cosa tremenda che finge di non volermi dire, per risparmiarmi, mentre in realtà vuole che io la sappia, che la indovini da sola. Ma non è vero neppure questo. Non saprei neppure io dire cos'è. Insomma, è vero che lei ha un suo modo di ferirmi, di irritarmi, di disgustarmi. Intanto per quell'abitudine odiosa di non sorridere mai — né affettuosamente, né ironicamente, né indulgentemente. Mai. I muscoli del suo viso non sanno sorridere. Possono scompaginare i lineamenti in una risata iperbolica, questo sì, ma per il resto se ne stanno impietriti in un'espressione contraria, negativa. E quando si degnano di produrre quella risataccia esagerata è sempre per qualcosa che ha detto Mina stessa, o per una battuta idiota della televisione, mai per qualcosa che ho detto io. Io non la faccio ridere.

Direte: non è poi così grave. Lo so. Questo, in sé, non vorrebbe dire. Pace. Abbiamo un senso dell'umorismo diametralmente opposto. Salute. Ma il fatto è che io ricordo benissimo quando ridevamo insieme. Oggi il suo non ridere con me fa parte di una sua sordità più grande, totale e soprattutto deliberata, nei confronti di tutto quello che proviene da me. Io, vedete, non riesco a smuovere niente in lei. Dal giorno in cui ha appeso i suoi vestiti nella mia stanza degli ospiti, l'amica di tante ore piccole, vacanze in tenda, telefonate interminabili, si è trasformata rapidamente in una massa immobile di cellule viventi.

C'è una sola eccezione alla legge della totale inerzia; è lei che tiene da parte le recensioni dei miei libri — a volte le ritaglia, spesso ha comprato delle cartelline di plastica per metterle in ordine — anche se poi tutto va perduto, in giro per vari cassetti, in fondo a qualche armadio sotto gli scarponi da sci, nel caminetto, nella spazzatura. Ma, insomma, è l'unica cosa mia che rianima questa creatura abissale, nel cui torpore rischio ogni giorno di essere inghiottita per sempre.

Ma guai a chiederle un minimo di interesse per un libro non ancora pubblicato né recensito; fino a che si tratta ancora solamente di cosa mia, priva dell'avallo esterno, allora il povero granellino di sabbia sbatte inutilmente contro la liscia parete madreperlacea della sua prigione. La cosa mia — nel suo duplice valore assoluto; in quanto cosa e in quanto mia — non le interessa affatto. E l'idiota sono io, che le offro in prima visione ogni mio dattiloscritto, come una bambina che chiede attenzione e conforto. Lei dice "sissì", il suo celebre "sissì", quello che io più odio tra tutti i suoni ventriloquali che escono, come fumo da una fessura, attraverso le sue labbra immobili. Quel "sissì" frettoloso, che da anni blocca ogni gesto o parola che rivolgo a lei, un "sissì" che mi impone, con precedenza assoluta, di interrompere il messaggio, poiché lei ha già capito e non occorre andare avanti. "Sissì" vuol dire "lasciami in pace. Risparmiami l'espressione del tuo pensiero, il suono della tua voce, lo spettacolo del tuo agire. So già tutto, nulla può sorprendermi". E quando le do un dattiloscritto da leggere, "sissì" significa: "appoggialo da qualche parte, senza ulteriori parole. Lascialo dove io lo possa dimenticare, cerchiare di caffè, sfogliare di malavoglia, perdendo e invertendo le pagine".

Poi, come Dio vuole, lo legge, ma a fatica, lentissimamente, con la stessa cattiva volontà che mette nelle poche cose — sempre meno — che io la costringo a fare: quella cattiva volontà pesante, sorda, che si accompagna solo al compito sgradevole eseguito da un sottoposto nascostamente risentito e infedele. Finalmente me lo riconsegna con la solita faccia di pietra e dice: «Boh. Non ho ben capito dove vuoi andare a parare».

Ci sono delle lettere di Kafka, nelle quali lui va in bestia per un atteggiamento simile di Milena, mi pare o di Felice.

Insomma, Milena — Mina, cioè — dice che pubblicando ora i racconti sembrerà che abbia finito la benzina eccetera eccetera. Quale benzina? Scopre dunque che avevo della benzina solo ora che, secondo lei, l'ho finita? Perché non si rende conto che la benzina non c'entra niente, e che è solo una questione di equilibrio, di gusto? È come in un pranzo ben congegnato — una cosa che oggi lei sa organizzare solo obbligandomi a sganciare novantanovemila lire per commensale a un caterer di lusso che faccia tutto al posto suo, compresi i fiori — è come in un pranzo eccetera, dunque, dove non si può far seguire a una portata di carne — ricca, pesante, piena di sughi — un'altra analoga.

Ho cercato di spiegarglielo con questo paragone. «Ci vuole un'insalatina sfiziosa, se non addirittura un sorbetto. È più elegante» le ho detto.

Ha alzato le spalle senza rispondere e si è versata un bicchiere di vino. Il tavolo che ci divideva, bcn lontano dal raffinato banchetto che avevo evocato, era coperto di vaschette in alluminio con gli avanzi di una cena comprata in rosticceria.

«Dopo un best-seller superpremiato» ho proseguito «ci vuole un tocco di leggerezza, possibile che tu non veda? Sette pezzi facili (apparentemente) quasi fosse un esercizio per sciogliere i muscoli... È una questione di stile, dopotutto.» Ho detto sette pezzi perché non avevo ancora pensato di scrivere questo: ora sono otto.

«Fai come ti pare» ha risposto lei. «Ma, secondo me, è come mettere le mani avanti. Sappiamo tutti che i racconti vendono meno dei romanzi; così, se la curva scenderà potrai dire — e pensare — che la colpa è solamente del "genere".»

Questo è quanto ci siamo dette ieri sera a cena. Ci ho pensato tutta la notte. Io lo so, di non aver finito la benzina. Lo so? Mah, sì. Ho sempre meno tempo per scrivere, ma idee me ne vengono a decine. Ognuno dei miei raccontini diventerebbe un romanzo di duecentocinquanta pagine, in mano a uno degli allungabrodo che dico io. Non ho affatto finito la benzina, cara signora e cari signori. Ma mi rendo conto che qualcuno potrebbe non chiedere di meglio che leggere nei miei racconti la confessione involontaria di un esaurimento delle scorte; e con questo?

Ho deciso: il libro conterrà sette racconti, otto con questo.

Milano, primavera 1991

Tantalus

Il piazzale è deserto. Nerone dorme sul sedile posteriore, pronto a svegliarsi al minimo rumore sospetto. Tolgo la Beretta dalla fondina e l'appoggio sul cruscotto.

Buon inizio. Subito dentro la storia, senza menare il can per l'aia. È così che fa anche lui, del resto, e meglio di me. Solo che a lui poi viene fuori quel filo di bava melliflua, vischiosa, quell'elegante ricamo narrativo, quel punto a croce di improbabili buoni sentimenti borghesi, di malinconie fasulle, di souvenirs da bancarella, con ogni casa popolare (pino marittimo, pasticceria napoletana, vecchietto caratteristico, siepe fiorita, promontorio roccioso) acquarellati al modo giusto; immagini toccanti che inducono l'estatico lettore medio a esclamare: «Ma certo! questa è proprio Castiglioncello com'era al tempo del mio viaggio di nozze — o la Sulmona di quando ho fatto il servizio militare!».
Sto parlando di Attilio Radi, e dei suoi best-sellers. Sono sei mesi che mi fa dannare, sei mesi che giro intorno a quest'uomo così pieno di intelligenza, di talento, di spirito, sei mesi durante i quali prima l'ho spiato, cercando di scoprire il segreto di quei suoi libri così abissalmente al di sotto di lui, l'ho tormentato in tutti i modi per costringerlo a spezzare l'incantesimo. Avrei voluto essere io il principe che bacia la Bella Addormentata, risvegliando il

145

grande scrittore che forse dorme in Attilio Radi, autore di melensi romanzi di successo.

Non gli ho telefonato subito, di ritorno da Marina di Pisa, e neppure più tardi, dopo aver terminato La carezza di Dio. Rimandavo, per pigrizia, ma mi era rimasta la curiosità di rivederlo. Intuivo in lui una strana sproporzione, un'anomalia mostruosa che volevo perversamente scoprire.

Be', ora l'ho scoperta. È stata una strana esplorazione che ho cominciato per la via più breve, facendo l'amore con lui.

Ho cercato di spiegarmi perché non mi sembra con questo di aver trasgredito alla mia nuova regola monastica, ma ho trovato risposte poco convincenti. Forse perché fino dal primo giorno abbiamo preso l'abitudine di fare insieme, ogni mattina alle sette e ogni pomeriggio alle due, sei giri del piccolo parco delle basiliche? forse perché siamo accomunati dallo stesso mestiere, abbiamo la stessa antipatia per il fumo e le nostre scarpe da ginnastica sono della stessa marca? forse perché non ci siamo mai amati, neppure per un minuto, e non abbiamo fatto neanche finta? O forse è solo perché abbiamo saltato la fase preliminare, quella dove nascono gli inganni e gli equivoci.

Insomma sono diventata — in una maniera così liscia che non vale la pena di raccontarla — l'amante, poi l'amica di un uomo un po' narciso, un po' mascalzone, pieno di fascino. Non ci siamo fatti la corte a vicenda, in compenso ci siamo studiati, abbiamo litigato. Non siamo mai stati gelosi l'uno dell'altra: il nostro sentimento reciproco contiene, caso mai, un filo d'invidia.

Questo è stato l'assetto che il nostro rapporto ha avuto subito, fino dal primo bacio, come se l'incastro delle nostre due personalità corresse inevitabilmente lungo quella linea, amore o non amore.

Quasi ogni mattina, mentre Mina dorme nel suo letto e la città è ancora silenziosa, esco di casa e, in tuta da ginnastica e scarpe da tennis, vado da lui con i croissants caldi e i giornali. Facciamo colazione insieme, poi scendiamo a fare i nostri sei giri prima che il traffico renda l'aria irrespirabile. Alle otto ci separiamo e ognuno ritorna al suo computer. Spesso, la sera, andiamo a cena insieme in un piccolo ristorante lungo l'alzaia. È un idillio senza amore, legato dalla complicità di essere entrambi mattinieri *e un po' malati di salutismo; una partita a scacchi vivificata dalla reciproca curiosità che nasce dal mestiere comune.*

E intanto io lo studio, pronta a saltargli addosso e a inchiodarlo, appena sarà il momento. È un piano che ormai gira di continuo nella mia mente, con un cerchio sempre più stretto e un suono sempre più acuto in forma di pensiero ossessivo. A volte mi sembra un sacro dovere, a volte me ne vergogno un po'. Forse è una di quelle cose buone e cattive insieme, come un'operazione chirurgica atroce e indispensabile.

Il racconto che sto scrivendo è la prova generale. Tutto è ben filtrato, nessuno può riconoscere l'ultrapremiato Attilio Radi in questo giovane metronotte seduto nell'auto parcheggiata sul piazzale deserto, la rivoltella appoggiata sul cruscotto, il cane lupo addormentato sul sedile posteriore.

Dalla mia posizione domino, sulla destra, i settantacinque metri di vetrine illuminate a giorno della Tantalus Elettrodomestici; a sinistra controllo d'infilata l'accesso al piazzale; ho appoggiato il paraurti posteriore dell'auto al muro di cinta del giardino contiguo, ininterrottamente liscio e alto sei metri: nessuno può arrivarmi alle spalle, se non un acrobata; e comunque non potrebbe farlo senza svegliare il cane. C'è luce come di giorno, una luce spettrale e incongrua, circondata com'è tutt'attorno dalle tenebre quasi complete della periferia. È come trovarsi nudi e impotenti sul vetrino di un microscopio. Per questo tutti i miei colleghi cercano sempre di evitare di fare qui il loro turno di sorveglianza. Io invece preferisco essere assegnato alla Tantalus piuttosto che a qualsiasi altro abbonato, perché questo chiarore mi permette, mentre mi assicuro il presente guadagnandomi lo stipendio della Vigilantes Associati, di lavorare alla costruzione del futuro, ricongiungendo così per otto ore al giorno le mie due anime antagoniste, quella di metronotte e quella di aspirante romanziere.

Il quaderno — un grosso quaderno con la copertina verde — è già pieno. Devo solo riguardare i racconti, scegliere quello da mandare a "Convivio", imbucare il plico e aspettare.

Anzi, avrei già deciso quale dovrebbe essere il racconto, si tratta solo di trovare un buon inizio. Devo riuscire a mettere in moto la storia di Lupesca, la creatura enigmatica dagli occhi verdi che incanta il protagonista, inducendolo a seguirla lungo la scogliera, incurante di tutto. E l'abbraccio che concluderà il racconto sarà un'ondata che lo rapisce sprofondandolo negli abissi marini.

Devo trovare un inizio. Trovato l'inizio il racconto è fatto: dopo si tratta solo di spedire e di aspettare.

Aspettare, da una parte è una cosa spaventosa, come tutti sanno, eppure c'è qualcosa, nell'attesa, che mi si addice. Mi piace sentire la vita sospesa, le giornate che vanno avanti mentre io sto fermo in un sacco trasparente che mi permette di veder scorrere il tempo, fuori...

Solo che dentro il sacco incominciano ad agitarsi i pensieri... Pensieri cattivi. Mi sembra di non ricordare altro che pensieri cattivi. Cerco di tornare indietro, indietro, per fermarmi su un momento che sia stato completamente bello; ma a parte i primi anni dell'infanzia, che del resto ricordo poco, la memoria non incontra l'ostacolo che va cercando, e scivola sempre più lontano. A volte mi trovo a fantasticare su mio padre alla mia età: com'era, vorrei sapere o almeno cercare di immaginare; ma a quel punto trovo solo nebbia. Quello che so di lui non fornisce alla fantasia gli elementi necessari a rappresentarsi un uomo giovane. Il ricordo che ho di lui è quello di un uomo amareggiato dalla miseria e dall'insuccesso. Non parlava che di soldi: meno ne aveva e più ne parlava. Non indossava più la sua divisa da vigile urbano, da quando era stato collocato anticipatamente in pensione, ma aveva mantenuto l'abitudine di portare gli stivali. Lo sentivo rientrare, la sera, battendo i tacchi sui cinque gradini di graniglia dell'ingresso; poi la chiave girava nella toppa, una chiave agganciata a un anello tintinnante di numerosissime chiavi, sebbene lui non avesse niente da chiudere, oltre l'appartamento in affitto: neppure l'automobile. Entrava in casa da smargiasso, con molto rumore; dopo gli stivali e le chiavi c'era la porta sbattuta, la sedia che prima grattava sgarbatamente le piastrelle della cucina poi gemeva sotto il peso di quel corpo che si lasciava cadere senza garbo, la manata sul tavolo, il nome di mia madre gridato sguaiatamente.

Lei accorreva subito, sottomessa, rimaneva in piedi accanto a lui, che le appoggiava la mano aperta sul fianco. Io vedevo quel gesto distratto e burbero, da padrone, quegli stivali che mia madre lucidava ogni sera come se fosse una questione d'onore, quel viso grasso, e mi domandavo se, ai tempi della sua giovinezza, c'era stato qualcosa che avesse suscitato in mio padre qualche animazione, qualche impulso di coraggio, di generosità. Eppure mia madre, con i suoi capelli biondi, la bocca tenera, lo aveva sposato. Addirittura, presumibilmente, si era innamorata di lui.

Devo scacciare i cattivi pensieri. Cominciano a girare, a girare, come un maledetto trapano che infallibilmente mi fa nascere quel dolore alle tempie, una morsa che mi stringe fino ad accecarmi. Scrivere è la sola via di salvezza, l'uscita dalla trappola.

Bevo un bicchiere di caffè dal thermos e fumo una sigaretta per confortare la mia inquietudine. Non ho pensieri buoni. Non ho memoria di aver mai avuto pensieri buoni, dopo l'infanzia, perché anche gli unici miei giorni felici, già mentre scorrevano, avevano l'amaro delle cose perdute; e così anche il ricordo di allora, è la nostalgia di una disperata nostalgia. Una nostalgia lunga un anno, che è quanto sono riuscito a tenere in vita l'assurda speranza di riuscire a sopravvivere dormendo nei ritagli di tempo, così da poter mettere insieme il miracolo: laurearmi, diventare uno scrittore e nel frattempo portare a casa quattro pasti al giorno per me e per mia madre.

Ma ne è valsa la pena. Era amara, quella felicità, ma che felicità salire ogni mattina sul treno degli studenti! Tutti quelli che viaggiavano con me erano benedetti dalla fortuna di aver qualcuno che provvedeva a loro, e io, per tutta la durata del percorso, potevo fantasticare di appartenere a quel magico cerchio privilegiato.

Mi innamoravo di tutte le ragazze che, poppute e proterve, irrompevano nello scompartimento fumando come maschi, i ricci volutamente incolti, i movimenti aggressivi e sgraziati, come a voler affermare con orgoglio la superfluità, per loro, di ogni civetteria tradizionale, di ogni banale tattica tesa ad aumentare la propria seduzione. Si comportavano come se sapessero di essere fin troppo belle — e certo lo erano agli occhi di me poverino, che sentivo dolorosamente il loro fascino come una spina di fuoco nel basso ventre.

Mi seduceva vederle parlare con la bocca piena di maritozzi, tramezzini, arance, che estraevano dalle caotiche fauci delle loro borse. Vibravo di desiderio fino allo sfinimento quando i loro corpi massicci mi urtavano brutalmente per prendere possesso, sui divanetti di tela rossa e grigia, del loro posto e di parte del mio.

Ma mi innamoravo anche delle madonnine infilzate, sottili, pallidine, educate, timide: protette come da un cristallo a prova di proiettile dalla loro riservatezza. Il desiderio che provavo per loro era complicato da un sentimento straziante e persistente, che mi portavo dietro anche dopo essere sceso dal treno, e per tutta la durata di quel dormiveglia stranito che invadeva in ogni minuto le ventiquattr'ore della mia giornata, al punto che, in nessun momento, riuscivo a capacitarmi con sicurezza se mi trovavo di pattuglia con la pistola nella fondina e il testo di Diritto Finanziario tra le mani, o nel magico treno Lucca-Pisa, o sui banchi della Sapienza oppure stremato dalla fatica nel mio letto.

Amavo tutte le ragazze che completavano l'inesauribile gamma compresa tra le poppute smargiasse e le delicate statuine d'alabastro: le intellettuali gentili e freddine che non alzavano mai gli occhi dal libro, le bambinone ingenue, le femministe, sempre in gruppo e così uniformi nel gergo, nei gesti, nelle opinioni.

Le sole che non mi seducessero affatto erano quelle che mostravano troppa voglia di piacere, come investite di una sacra missione a cui non smettevano mai di pensare. Belle, ben vestite, accurate in tutto, sedevano composte nel loro angolo a null'altro intente se non a emanare fascini discreti. Che se ne stessero in silenzio o parlassero tra loro a bassa voce, si tenevano sempre pronte a lanciare sguardi carichi di messaggi a ogni maschio — possibilmente sconosciuto e appetibile, ma in mancanza di meglio persino a me. A seconda dello stile individuale erano occhiate maliziose o passionali, tenere o ingenue; proponevano o promettevano sviluppi di varia natura; io non so se poi mantenessero la promessa, perché non ho mai sentito il desiderio di accettare l'invito.

Sin da allora ogni mia curiosità o propensione per una donna spariva per incanto non appena la sospettavo impegnata nell'impresa di piacermi. È una maledizione, beninteso, ma in qualche modo ne vado perversamente fiero. Ti sei fatta l'onda, cambiato il vestito, segnati gli occhi, dipinte le labbra per piacere a me? Sei arrivata con quel giusto ritardo civettuolo, e hai persino sbattuto le ciglia, quasi commossa quando ti ho parlato dei miei racconti? Ti fai trovare sempre, come per caso, sulla mia strada? Inventi delle scuse per telefonarmi? Eh, carina, così non mi piaci più. Hai perduto il tuo potere. Mi piace la tua amica meno bella di te, quel maschiaccio che non mi vede neppure, l'orecchio incollato alla radiolina che trasmette la partita di calcio. Mi piace la sfinge inaccessibile e misteriosa, intenta a pensare a qualcun altro, o a se stessa. Tu no, bella mia. Tu implori la mia attenzione, la mia ammirazione. Forse addirittura il mio amore? Saresti stata pronta, ai tempi dell'università a venire con me lungo il fiume? Saresti disposta, oggi, a lasciare che io abbassi i sedili ribaltabili dell'auto?

Non so, non mi interessa provare.

Mi domando se il segreto inferno che si nasconde nel mio protagonista riuscirà a raggiungere una temperatura che lo renda paragonabile al fuoco che brucia nelle viscere di Attilio. Non sarà facile arrivare a quella soglia. E in ogni caso sarà impossibile, dal momento che il mio racconto rimarrà in prima persona, giocare sull'elemento che più mi ha fatto impazzire. Perché il mio metronotte, più o meno lucidamente, sa di essere maledetto. Mano a mano che gli elementi verranno fuori, sarà lui che li avrà evocati. Non chiamerà le cose con il loro nome, non collocherà ogni singolo mostro del suo bestiario al posto che gli compete, ma in fin dei conti è lui che parla, è lui il teste che rilascia la deposizione.

Attilio, invece... Mio Dio che incredibile scoperta — la vera rivelazione — quando mi sono resa conto dell'idea di sé che ha il superpremiato autore Attilio Radi!

Io lo avevo sentito parlare per telefono con Maria, senza sapere che fosse sua sorella, e mi ero detta, senza la minima esitazione, "questa è la sua amante, è molto più giovane di lui e lo sta facendo dannare". Era un tono inconfondibile, e sono stata certa di non essermi sbagliata anche quando poi l'ho vista arrivare. Ho calcolato che avesse qualche anno meno di me, quindi quasi venti meno del fratello. È entrata nell'appartamento a vele spiegate, come spinta dal vento, o piuttosto come se fosse lei a muovere l'aria con la sua presenza, sconvolgendo l'equilibrio delle cose e scarruffando i pensieri. Ha cominciato a parlare a suo fratello con quella disinvoltura un po' petulante di chi sa che verrà sempre ascoltato e, se occorre, perdonato. Lui era in estasi, come un vecchio sultano a cui la favorita tra le odalische sta facendo il solletico.

Ma in ogni caso non è stata pronunciata alcuna parola rive-
latrice, non è stato compiuto alcun gesto sospetto. Anzi, sono sicu-
ra che se avessi saputo in precedenza che quei due erano fratello e
sorella non avrei dato alcuna interpretazione particolare ai loro
rapporti. Avrei fatto rientrare tutto nello schema consueto, nel co-
modo letto di Procuste della convenzione, dove si taglia quello che
avanza e si allunga quello che manca. Anche perché non potrei ci-
tare qualcosa di specifico e dire "ecco, a questo punto è accaduto
qualcosa che mi ha fatto capire di avere di fronte una coppia senti-
mentalmente storpiata per tutta la vita da un inconfessato senti-
mento incestuoso".

Non potrei. Direi anzi che ho registrato l'impressione senza
sapere esattamente cosa l'avesse provocata, anche perché, sul mo-
mento non le ho dato troppa importanza: ero e sono sicura che si
tratta di faccende molto più comuni di quanto ci piaccia pensare.

Ho solo registrato. E mentre andavo a Marina di Pisa pen-
sando a tutt'altro e sbrogliavo la vicenda della Carezza di Dio,
cominciavo già a pensare a un altro possibile racconto, con uno
scrittore innamorato della sorella — roba già scritta varie volte,
ma sempre buona, a saperci fare.

Naturalmente mancava il nodo, il punto di forza; quindi l'i-
dea si era collocata da sé in magazzino, in attesa di essere risve-
gliata dal reagente adatto.

Poi tutto è precipitato in maniera imprevista, pochi giorni
dopo che ero tornata a Milano e avevo finito il racconto. La pri-
mavera era arrivata tutta d'un tratto; era chiaro che non avremmo
più acceso i termosifoni, così mi era presa una smania impaziente
di liberare la casa di tutta la sporcizia dell'inverno.

Senza cercare l'aiuto di Mina — un'impresa faticosa e inu-
tile — e senza aspettare l'arrivo della domestica a ore avevo stac-
cato le tende del salotto e le avevo messe in lavatrice; mi proponevo
di dedicare la mattinata a lavare i vetri, pulire i radiatori, batte-
re i tappeti: per questo ero quasi decisa a non scendere neppure a
comprare i giornali, che non avrei comunque fatto in tempo a leg-
gere.

Direi che tutto è cominciato dal non essermi voluta attenere a
questo saggio proposito. Fatto sta che in casa mancava lo yogurt e,

già che scendevo, ho preso anche la solita mazzetta di quotidiani e riviste.

È cominciato di lì. Ho dato appena un'occhiata, mentre facevo colazione, e sul principale settimanale del MIO editore c'era un articolo che mi definiva "di un'armonia glaciale, se non insipida, nella sua imperturbabile lucidità mentale e sanità emotiva".

Mentre sciacquavo la tazza ho elencato mentalmente tutti quei colleghi che avrebbero senza indugio telefonato all'ufficio stampa per chiedere la testa dell'articolista; e mi sono affrettata a compiacermi di me stessa, che mai avrei fatto una cosa del genere. Ho pensato per un attimo di svegliare Mina per suscitare la sua indignata solidarietà, ma subito mi sono rappresentata la sequenza a cui avrei assistito: l'odore di fumo nella stanza, il disordine incancrenito, la lentezza nel tornare alla coscienza, la fulminea scelta — tra tutte le reazioni possibili — di quella che l'avrebbe in ogni caso esclusa da qualsiasi onere, impegno o dovere. Così ho lasciato perdere. Di fare le pulizie non ne avevo più voglia. Mi sono trastullata con altre due o tre possibili reazioni di tipo più o meno inconsulto e non ne ho fatto di niente neppure di quelle. Reazioni sensate non mi pareva che ce ne fossero, così ho indossato tuta e scarpe da ginnastica, ho preso la metropolitana e sono andata a fare un paio di giri al Parco Lambro, compiacendomi non poco della mia imperturbabile lucidità mentale e sanità emotiva. Qui non ci si strappa i capelli, signori. Qui i congiuntivi e i sentimenti vengono tenuti sotto controllo. Per un pittoresco sanguinare di visceri rivolgersi altrove.

E mentre continuavo a marciare con qualche corsetta di tanto in tanto, compiaciuta della mia buona forma fisica oltre che psichica, ha cominciato un piccolo tarlo a rodermi in un angolo della coscienza, suggerendo il romantico sospetto che forse ci vuole davvero un orribile drago intento a ruggire e a sputare fuoco nell'oscura cantina di un essere umano affinché questo possa produrre un grande libro.

E io, allora? Io che non ho draghi? Posso fidarmi della parola del Maestro (del vero Maestro, non certo di Attilio) accettando l'idea che il peggior drago — e quindi il più produttivo — potrebbe essere per l'appunto il fatto di non aver nessun drago, nessu-

na belva pronta a saltar fuori dalla jungla? Che l'assenza del mostro — e quindi, in sostanza, l'imperturbabile lucidità mentale e sanità emotiva — siano, dopo tutto, la più atroce delle mutilazioni, la vera e incurabile oscura ferita? Lo ha detto veramente? E se lo ha detto, ci credeva, lui?

Solo nel pomeriggio mi è venuto in mente Attilio Radi. Ma come, mi sono detta, quello ha maestria, intelligenza, talento, e d'altra parte non dovrebbe essere troppo afflitto da imperturbabile lucidità mentale e sanità emotiva, dal momento che è innamorato della sorella, se non mi sbaglio di grosso, e per buon peso ha portato al suicidio una giovane sposa del litorale toscano. Lui non deve andare a scomodare l'inattendibile non-belva. Lui ha il suo bel drago regolare, a due teste, per giunta. Si può sapere perché, allora, scrive quelle melensaggini sentimentali, inzuppate nello sciroppo di quei paesaggini da cartolina?

Ecco, è così che mi è venuta voglia di rivederlo. Non so neppure io cosa mi ripromettessi all'inizio. Gli ho telefonato e lui mi ha invitata a cena. Siamo andati in un piccolo ristorante greco lungo il Naviglio Grande. La notte stessa sono andata a dormire con lui, e il mattino dopo sono rientrata alle sette, con un margine di quattro ore sul risveglio di Mina. È stato l'unico nostro incontro durante il quale abbiamo parlato di noi — io di lui, lui di me, ciascuno di se stesso — senza dare spazio a nessun altro. Se mi sono innamorata di lui, e lui di me, tutto è cominciato e finito in quelle dieci ore, e in ogni caso nessuno dei due se ne è accorto.

Già dal giorno dopo, quella cosa che non so bene se si debba chiamare amore è stata sostituita, per me, da una morbosa curiosità; per lui, credo, da un altrettanto morboso impulso ambivalente di mostrarsi e di nascondersi, che poi è l'impulso fondamentale di ogni romanziere e, a detta dei criminologhi, di ogni assassino.

Negli incontri successivi, subito, a cominciare dal primo, non siamo più stati soli, o per meglio dire, noi non ci siamo stati più affatto, perché Maria è entrata nei nostri discorsi e non ne è più uscita, collocandosi al centro del nostro rapporto e spingendo fuori tutto il resto, noi compresi. Sono venuti fuori, uno dopo l'altro, i singoli episodi staccati — fidanzamento di Maria, matrimonio, nascita del bambino, morte del marito, adozione del nipotino da parte di Attilio. Uno per uno non significavano niente, ma il filo rosso che li legava era grosso come una corda. Sembrava che ogni particolare si incastrasse in un ineluttabile disegno del destino. Ho cominciato a drizzare le orecchie, ma solo dopo molto altro parlare — perché Attilio Radi parla molto, e sempre di sua sorella — ho capito che Attilio era stato la causa, tecnicamente involontaria, ma così opportunamente diretta!, dell'incidente capitato a Galeazzo.

Andavamo a visitare le mostre d'arte, correvamo in tuta lungo il perimetro di Piazza Vetra, cenavamo insieme, facevamo l'amore e non uscivamo mai dal cerchio di quell'argomento ossessivo: Maria, il matrimonio, il bambino, Galeazzo, l'incidente, il senso di colpa e ancora Maria, Maria, il bambino di Maria, la felicità di Maria, la salute di Maria, la presunta frigidità di Maria, la temuta e mai esplicitamente nominata insaziabilità sessuale di Maria e — con mal repressa furia omicida — gli spasimanti di Maria e di nuovo la morte di Galeazzo e l'infernale senso di paternità di Attilio nei confronti del bambino, quasi fosse la prova preziosa di un incesto realmente avvenuto e non solo sognato.

Vorrei che il drago del mio metronotte si delineasse con la stessa inesorabile e rapida gradualità con cui quello di Attilio si è venuto formando davanti ai miei occhi; e che di pari passo venisse fuori il racconto che il mio personaggio immaginario sta tentando di scrivere, altrettanto inadeguato al fuoco che arde dentro il suo autore quanto i romanzi dello scrittore reale Attilio Radi sono comicamente incongrui rispetto a quello che so di lui.

Devo, senza scriverlo per intero, fare apparire il racconto che il giovane metronotte sta scrivendo in tutta la sua banalità: una storia enfatica e rigonfia di ovvia letterarietà, con belle sconosciute stupidamente enigmatiche, tempi e luoghi volutamente non identificati, monili di foggia strana e barbarica e via così.

Il silenzio è completo. Appoggio il quaderno al volante e scrivo qualche pagina, cercando di creare un'atmosfera di attesa. Il protagonista vaga sulla riva del mare, perduto nei suoi pensieri. È solo, infelice. I suoi calzari lasciano sulla sabbia una lunga serie di impronte desolate. I gabbiani stridono, forse piangono. Ecco che, dalla bruma salmastra, si materializza una figura femminile. Fino a un attimo prima non c'era nessuno, ed ora eccola lì, bellissima e misteriosa.

«Chi sei?» domanda il protagonista, che ancora non ho deciso come dovrà chiamarsi.

Le labbra turgide si schiudono in un sorriso enigmatico. Le parole che ne escono hanno la stessa voce del mare. «Esisto. Non ti basta?»

Forse questo è un po' troppo, ma davvero non è facile scrivere a bella posta una cosa brutta. Lo è molto di più scriverla involontariamente. L'importante, se questo racconto deve avere per me una funzione propedeutica, è rispettare le proporzioni. Il mio intelligente e tormentato metronotte-scrittore sta alla stupida storia dell'enigmatica Lupesca dagli occhi verdi come Attilio Radi sta ai suoi premiati best-sellers. E, soprattutto, il metronotte-scrittore sta al racconto che potrebbe scrivere e che i miei lettori dovrebbero intuire, come Attilio Radi sta al romanzo che non scriverà mai.

So che non lo scriverà mai, ora, perché tutto quello che potevo tentare per farglielo sputare a forza è stato tentato. Era come scuotere un salvadanaio: sentivo il rumore di quello che c'era dentro, ma non c'era verso di fare uscire niente. Lui si lasciava scuotere e non mollava di un centimetro. Io non gli ho mai detto a chiare lettere: tu sei innamorato di tua sorella, hai ammazzato tuo cognato e fai finta di essere il padre di tuo nipote per poter pensare di aver fatto l'amore con sua madre; e tutto questo ti ha portato a un tale grado di insensibilità per tutto il resto da non esserti neppure accorto, per esempio, di aver condotto al suicidio una povera stupidotta di provincia. Non sono arrivata a fargli un discorso del genere a chiare lettere, ma l'ho torchiato in tutti i modi per farlo fare a lui. Non era facile: lui si dibatteva, diceva che ero matta, che non riusciva a capire cosa volessi da lui, se non tormentarlo. Litigavamo a sangue, ma io mi ero messa in testa di costringerlo a guardare negli occhi il suo drago, a tenergli testa, ad addomesticarlo, trasformandolo in uno stupendo ippogrifo che lo portasse in volo verso un vero grande romanzo. O, più semplicemente, cercavo di suggerirgli: visto che hai i tuoi guai, fanne buon uso, almeno.

Non c'è stato verso, e un bel momento ho capito che era fini-ta, che non ce l'avrei fatta. Non è successo niente di speciale: sta-vamo litigando come al solito, ma all'improvviso ho capito che sta-vo cercando di fargli ammettere una cosa che lui non sapeva. Atti-lio ha un viso serio, scavato, consapevole: la faccia di uno pieno di senso di responsabilità nei confronti della sorella sfortunata, del ni-pote senza padre. Ha quella faccia perché lui è convinto di essere così. Mi guardava con quei suoi occhi così belli e sensibili e non aveva la più pallida idea del perché io lo tormentassi tanto. In-somma, ho capito che tutti i litigi erano stati inutili e che ormai avevamo litigato una volta di troppo. Che già da qualche giorno mi era passata per sempre la voglia di fare l'amore con lui e che la cosa era fortunatamente reciproca.

Siamo stati qualche settimana senza vederci, poi abbiamo ri-cominciato a incontrarci al mattino, durante il nostro giro della Vetra, così ha avuto inizio la nostra seconda fase, con questa spe-cie di liaison bianca, basata sul comune mestiere e sulla comune voglia di fare del moto.

E, da parte mia, anche sul fatto che sono ben intenzionata a non mollarlo, perché ho deciso che il suo grande romanzo, visto che non potrà mai scriverlo lui, cercherò di scriverlo IO. Prenderò in prestito il suo drago, che ormai conosco così bene, lo farò mio e ve-drò di cavarne qualcosa. Non subito, beninteso; tra un anno o due, diciamo. E intanto, la storia del metronotte, attraverso il gioco di specchi della metafora, mi tiene vicina all'argomento, allena la mia immaginazione a guardare nell'abisso che c'è fra l'essere e il fare, e addestra il mio mestiere a percorrere il cammino alla rovescia, non tra il prodotto letterario e l'autore che c'è dietro — come fanno i letterati — ma tra il talento dell'autore e la cosa che potrebbe produrre e che non produrrà mai, impedito dalla paura, dalla pi-grizia, a volte da una misteriosa stupidità.

Bevo un'altra tazza di caffè per scaldarmi. La notte è gelida, sebbene sia il ventuno di marzo, primo giorno di primavera.

Ecco che Nerone comincia ad agitarsi. Il piazzale è ancora deserto, ma sento che si stanno avvicinando.

Ripongo con cura il quaderno, apro lo sportello posteriore e lascio che il mio fedele luogotenente esca dall'auto. Io rimango ancora seduto, le mani appoggiate sul volante. La luce al neon che illumina il piazzale si riflette sul mio giubbotto di pelle. Respiro rapidamente, il cuore mi batte forte.

Arrivano uno dopo l'altro; li conosco quasi tutti, ma lei non l'ho mai vista. Bionda, grande, con la gola bianca e le orecchie tagliate a punta, segno che ha, o ha avuto un padrone. Giocano tra di loro come facendo finta di non sapere che ci sono anch'io.

Ora riprendo la Beretta, la metto nella fondina, esco dall'auto. Al suono dei miei stivali sull'asfalto del piazzale Nerone li mette tutti in riga, senza affannarsi, con la stessa autorità che i suoi antenati usavano con le pecore.

Faccio qualche passo verso di loro: la cagna mi si avvicina uggiolando e mi lecca una mano. La gratto un po' sotto il mento, guardandola negli occhi dorati e intanto gli altri maschi si dispongono rispettosamente in cerchio attorno a noi. Solo il più grosso mi si avvicina cercando di girarmi attorno per annusarmi, ma Nerone gli è subito sopra e lo costringe a mettere le spalle a terra scoprendo il ventre. La cagna è pronta, calda, arrogante e servile allo stesso tempo, consapevole del suo fascino e disposta a sottomettersi.

Questo è il momento più pericoloso, per me. Non so mai fino a che punto tutti quanti, compreso Nerone, sappiano. Se mi credano uno dei loro, uguale a loro; o se invece mi considerino una creatura superiore, indotta da un imperscrutabile capriccio a scendere nel mondo dei cani per prendere parte ai loro rituali amorosi: non so. So che la loro sensibilità è dilatata dall'eccitazione, e la mia precauzione, per non turbarli, è di bandire, sempre più quanto più mi avvicino al momento cruciale, ogni pensiero umano, nel timore che possa passare dalla mia mente alle loro portando una ventata di consapevolezza. Se questo accadesse io potrei diventare all'improvviso per l'intero branco, compreso Nerone, un intruso da sbranare. Ma ho la Beretta, dopo tutto, e so che vale la pena di correre il rischio, perché ognuno può vivere solo nel suo tempo e nel suo mondo. E questo è il mio tempo, il tempo oscuro quando gli uomini dormono; questo è il mio mondo, familiare e rassicurante, dove al massimo posso essere costretto a difendermi a pistolettate da un branco di cani.

Accarezzo il fianco della cagna con un gesto burbero, sbrigativo. Mentre lei si volta, invitante, e io mi avvicino di più mi esplode nella testa l'ultimo pensiero umano: "Udì il mare che lo chiamava con una voce così forte da fargli perdere la consapevolezza dei contorni del proprio corpo. Corse verso la scogliera come un'onda attirata dal riflusso". Faccio appena in tempo a registrarlo. Poi vengono gli altri pensieri.

Spengo il computer ed esco sul terrazzo. Il cielo è limpido, chiuso verso nordovest dalle montagne coperte di neve.

Ho scritto il racconto di una che scrive il racconto di uno che scrive un racconto mentre cerca di vampirizzare un altro scrittore allo scopo di spremere un romanzo dalle sue riluttanti viscere. Siamo arrivati alla quarta potenza del meta-meta.

Ora non scriverò niente per qualche settimana, poi comincerò a partorire il figlio letterario di Attilio Radi. Ho già in mente la vicenda, che non avrà niente a che fare con la vita del mio ispiratore, ma ne conterrà tutto l'insostenibile orrore. Ho già in mente il tono narrativo. Ho già in mente tutto.

Le cose in più che troverò strada facendo, le possederò per intero nel momento stesso che si affacceranno alla mia immaginazione. Così è più facile, si lavora meglio. Non si perde tanto tempo a cercare di intendersi con se stessi: eppure ho nostalgia di quando non sapevo bene neppure io cosa stavo scrivendo, e dovevo aspettare le recensioni per capire il mio libro. Oggi le sole sorprese che riservo a me stessa sono le brutte sorprese: una cilecca, un infortunio professionale sono ormai le uniche possibili testimonianze della vitalità di Teodora Francia.

160

Quando avevo dodici o tredici anni ho scritto un romanzo, rimasto incompiuto, in collaborazione con una mia compagna di scuola. Non ricordo più la storia: so solo che il protagonista era un architetto incompreso e perseguitato a causa delle sue idee geniali e rivoluzionarie. Forse quel quaderno, da lungo tempo perduto, conteneva la mia opera migliore?

Balle. La spontaneità va bene per vivere, non per scrivere. Solo che è difficile metterla e levarla come un paio di occhiali. E allora? Allora devo districarmi tra un ammasso di dati inoppugnabili e incompatibili. Non posso vivere senza scrivere. Non posso scrivere senza vivere. Non posso vivere e scrivere contemporaneamente. Non posso — per trarre una metafora da una delle pagine precedenti — essere contemporaneamente nel bungalow n. 7 e nel bungalow n. 9 di Honoloulou Beach. Vivere vuol dire lasciarsi prendere dalle cose, immergersi; scrivere vuol dire starne fuori, con un cannocchiale, un microscopio o magari una lorgnette.

Ecco perché devo alternativamente andarmi a cercare e portarmi a sperdere, sempre in condizioni di nostalgia per l'altra cosa: un aereo che solca il cielo, il sogno di essere altrove quando sono a casa; la casa, i cani e in fondo anche me stessa quando sono altrove.

Ma il siero del dottor Jekyll, come tutti sanno, progressivamente perde il suo potere, e durante la trasformazione mi lascia cadere a metà strada, in una gabbia buia dove sono rinchiuse due persone che provano antipatia l'una per l'altra.

Metto un piede sul bordo del cassone dove spuntano i primi giacinti, pigne grasse, succose, qualcuna già lacerata lateralmente dai petali colorati che premono verso la dolcezza primaverile. Mi afferro al sostegno della vite americana, mi tiro su. Il brandello che spunta dal più grosso dei bocciuoli è candido; mentre lo spiaccico con il piede mi torna in mente Ciondolino, il bambino trasformato in formica, con il lembo della camicia bianca che spuntava dalla corazza lucida e nera. Quando era tra le formiche sapeva di essere un bambino, e quando fosse tornato ad essere un bambino avrebbe saputo per sempre di essere una formica.

Tre piani più sotto le formiche strisciano in tutte le direzioni. Mi viene fuori un singhiozzo. « Cosa posso fare? » grido. « Chi mi dice cosa devo fare?» E che sciocchezza, comunque. So bene che non si tratta di fare, ma di disfare; e quello non si può.

Mi tornano in mente quei due sotto l'ombrellone. Arrivavano per ultimi, al mattino, perché la notte facevano tardi alla Capannina, dove si esibivano come fantasisti. Entrambi indossavano un ampio accappatoio candido e occhiali neri. Portavano grandi borse piene di teli di spugna, unguenti, riviste. Molti giorni non riuscivo a vederli, perché io venivo condotta al mare dalle nove alle dodici ora legale, in ossequio alla regola secondo la quale il sole va preso prima che i raggi cadano a picco.

Non so perché mi piacessero tanto i due fantasisti della Capannina; da parte mia io facevo di tutto per piacere a loro.

Ricordo quella volta. La ragazza si dava lo smalto sulle unghie — le palpebre pesanti si alzarono e lo sguardo inespressivo si posò su di me. Poi la voce sorda, carica di insofferenza.

Dico insofferenza, ma era quasi odio. La voce, in ogni caso, aveva detto: «Mioddio, c'è di nuovo quell'impiastro di bimbetta». E il compagno della ragazza, sdraiato sulla spugna gialla al limitare del cerchio d'ombra non si era neppure dato la pena di aprire gli occhi per ringhiare:

«Levati dai piedi.»

Forse quella non è stata la prima lezione, né la più importante; è solo quella che mi si affaccia alla memoria mentre il mio piede schiaccia il giacinto bianco. Quella volta, in ogni caso, e altre volte, sono stata costretta a imparare che c'era qualcuno a cui non sarei piaciuta mai, qualunque cosa avessi potuto fare. Non sempre la gente ha avuto quella sincerità neutra nelle palpebre, nello sguardo, nella voce, ma ora so tradurre e mettere insieme due più due: che ci vuole? È molto più difficile fare il contrario, trovare delle scuse agli altri, ignorare la realtà.

E ora è tutto fatto, solidificato dal tempo, e anche se mille anni fa, quando ero sulla spiaggia di Forte dei Marmi, avrei forse ancora potuto cambiare la direzione dei miei passi, avvicinarmi a qualcun altro e riprovare — o molto meglio non cercare nessuno e starmene sola nel mezzo dell'arenile a piangere, come in verità avevo voglia di fare con tutto il fiato che avevo in gola; e forse, standomene lì a gridare, piantata come una di quelle tamerici che non fanno né fiori, né frutti e nemmeno ombra — forse allora sarebbe stato possibile cambiare tutto prima che cominciasse. Sarei passata tra quelli a cui si dice "povero tesoro", forse. Ma ci credo poco, perché non so immaginare chi avrebbe potuto dirmelo, tra gli adulti distratti, ostili, pigri che mi circondavano. E anche se allora, eccetera eccetera, certo ormai tutto è deciso e disfare non si può più.

Non so neanche quando è stato che ho imparato la seconda lezione, perché anche se ora sento che la conosco da un bel pezzo, fino a oggi non avevo mai voluto prenderne atto. Lo sapevo senza saperlo. Non mi ero mai detta chiaro e tondo: tu non piacerai mai a nessuno. A nessuno. Altro che la mamma fredda, l'amica che non è amica, la ragazza dell'ombrellone infastidita, gli uomini sempre incompatibili e via e via. A nessuno. Credere diversamente sarebbe ingenuo come prendere per buone le parole del fioraio di piazza Santa Croce, quello stesso che mi ha venduto i bulbi dei giacinti bianchi, quando mi dice: « Per lei, mia bella signora, qualunque cosa ».

Ma in fondo al cuore l'ho sempre saputo, perché quando ognuno di quelli che dicevano di amarmi sosteneva che nessun altro mi amava, sapevo che diceva la verità. E quando gli altri dicevano la stessa cosa di lui, anche quella era la verità, e anche quello lo sapevo.

Il gran guaio, inutile dirlo, è stato originato dal fatto che la pelle ha retto, eccome. Ripensandoci ne sono quasi amaramente compiaciuta. Una resistenza fantastica. All'esterno non ho mai sanguinato e nessuno ha visto niente. Neppure quella volta sulla spiaggia, di sicuro. Mi sono allontanata facendo la ruota — sei, sette giri consecutivi: mani, piedi, mani, piedi; è come se potessi vedermi, con le trecce bionde che tracciano un dorato cerchio concentrico, di raggio pari a tre quarti del disco grande; quello che si dice un accidente di bambina, piena di spavalderia, paura neanche del diavolo.

Me ne andrò di nuovo facendo la ruota, le gambe e le braccia aperte come raggi. Non rannicchiata sulle piastrelle di una cucina, affinché qualcuno possa chinarsi sul mio corpo e dire — finalmente — "povero tesoro". Povero tesoro, povera bambina, lascia che io ti protegga.

Figurarsi. Invece, se non vi dispiace, volerò come una cometa,
accidenti a voi, e prima di arrivare riuscirò a vedermi come sarò,
lì sull'asfalto, tutte le ferite interne che nessuno ha mai visto final-
mente allo scoperto, un'unica ferita enorme, spaventosa, il mio
molteplice e sempre uguale Io Narrante ricomposto a forma di
ruota. E dovrete ammettere che quello sarà davvero uno stupendo
finale — tanti lo hanno già usato, direte, ma, credetemi, non così
— perché in questo c'è qualcosa (e mi riferisco, come chiunque
dovrebbe capire e io non dovrei sottolineare, alla ruota, quella che
disegnerò nell'aria volando verso l'asfalto e all'altra sulla spiaggia
di Forte). E poiché le due ruote gireranno finalmente insieme...
Be', mica male... Ma, signori, vi prego di non distrarvi proprio
ora, e di non lasciare che la straordinaria appropriatezza del det-
taglio vi distolga dall'insieme, facendovi mancare l'evento maggio-
re, intendo la mirabile ricomposizione dell'equilibrio, la chiusura,
proprio nello stesso punto, del cerchio più ampio, in modo che tutto
vada a posto, compreso l'ammiraglio Bloom, che spero ricorderete;
e mentre la ruota si staccherà dal balcone prima girando lenta-
mente, poi sempre più veloce come un fuoco artificiale, se ne avrò il
tempo sì dirò sì voglio Sì.

Indice

Finito di stampare nel mese di maggio 1991
dalla RCS Rizzoli Libri S.p.A. - Via A. Scarsellini, 17 - 20161 Milano

Printed in Italy

LA SCALA
Ultimi volumi pubblicati

CLIVE CUSSLER *Missione "Eagle"*

PETER HEIM *La clinica della Foresta Nera*

D. KINCAID *Nonostante l'evidenza delle prove*

TOMMASO LANDOLFI *Il gioco della torre*

JAMES GRADY *La notte dell'avvoltoio*

MEMPO GIARDINELLI *Calda luna*

GIUSEPPE CONTE *Equinozio d'autunno*

HEINZ G. KONSALIK *Gli amanti*

M. FELISATTI/M. LETO *O dolce terra addio*

ERIC VAN LUSTBADER *Quattro pezzi di giada*

GIORGIO MANGANELLI *Rumori o voci*

PETER CAMERON *In un modo o nell'altro*

GERALD A. BROWNE *La pietra 588*

EMILIO TADINI *La lunga notte*

SYLVIE GERMAIN *Il libro delle notti*

ANTONIO DEBENEDETTI *Spavaldi e strambi*

JOHN TRENHAILE *Le spie del Mah-Jong*

RENATO OLIVIERI *Largo Richini*

STEPHEN MARLOWE *Il Viceré del Nuovo Mondo*

CARLO CRISTIANO DELFORNO *Descrizioni criminali*

KAZUO ISHIGURO *L'artista*

JAMES GRADY *Colpo di rasoio*

CLAUDIO MARABINI *L'Acropoli*

OSVALDO SORIANO *La resa del leone*

DAVID AARON *Stato Scarlatto*

JOHN UPDIKE *La versione di Roger*

IPPOLITA AVALLI *L'infedele*

NICHOLAS GUILD *L'assiro*

STEVE SOHMER *Gli ultimi nove giorni*

ROMANO BILENCHI *Amici*

WILLIAM KENNEDY *Ironweed*

ALICE McDERMOTT *Quella notte*

GIORGIO DE SIMONE *Il caso Anima*

ODDONE CAMERANA *La notte dell'Arciduca*

CLIVE CUSSLER *Cyclops*

ARTHUR C. CLARKE *Voci di terra lontana*

ANDRÉ BRINK *Un istante nel vento*

STEPHEN VIZINCZEY *Il candido miliardario*

MARCO BACCI *Settimo cielo*

NOAH GORDON *Medicus*

ROBERT LUDLUM *L'Agenda Icaro*

TOM CLANCY *Attentato alla corte d'Inghilterra*

ANATOLIJ RYBAKOV *I figli dell'Arbat*

J. G. BALLARD *Il giorno della creazione*

HANS WERNER KETTENBACH *I piedi sulla testa
ovvero Progetto inutile di un delitto perfetto*